JN083057

息苦しい世界で
健やかに生きるための

休息の科学

息苦しい世界で健やかに生きるための10の講義

The Art of Rest: How to Find Respite in the Modern Age

クラウディア・ハモンド 著
山本真麻 訳

The Art of Rest:
How to Find Respite in the Modern Age
by Claudia Hammond

First published in Great Britain in 2019
by Canongate Books Ltd,
14 High Street, Edinburgh EHI ITE
Canongate.co.UK

Japanese translation published by arrangement with Canongate Books Limited through
The English Agency（Japan）Ltd.

ジョーとグラントのために

CONTENTS

人気の休息
第6位
長めの散歩
123

人気の休息
第5位
特に何もしない
155

人気の休息
第2位

自然のなかで過ごす 256

人気の休息
第1位

読書 287

休息のすすめ

■ 休息は足りてない

カラフルな縞模様のハンモックを思い浮かべてみましょう。軽やかな南国の風を受けて優しく揺れています。暖かく、かぐわしい風。ホテルのバルコニーから見渡せるターコイズブルーの海は、太陽の光を映してキラキラと輝いています。

休息といえば、こんなイメージではないでしょうか。でも、ハンモックは意外に難しいのです。まずはバランスを崩したり反対側にひっくり返ったりせずに、よじ登らなければなりません。頭や足のほうへ動いて居心地のよい位置を探す必要もあります。枕にするクッションを取りにいこうかといったん下りでもしたら、またはじめからやり直し。やっとのことで、ちょうどいいバランスと位置に落ち着きます。これで安らげますね。

果たしてそうでしょうか？　居心地のよい姿勢に落ち着いたとしても、ハンモックの上でずっと安らぎつづけるのは難しいでしょう。

これには、休息に対して人が抱きがちな感情が関係しています。２つの相反する思いが私たちのなかにあるのです。**休息を切望する気持ちと、自分はだらけているのではないかと不安に思う気持ち、つまり精一杯生きていないのではないかという不安です。**

人間とほかの動物とを区別するもののひとつが探究心です。生きていくのに必要なものが揃っていても、いまだに私たちは山や海の向こう、はるか彼方の惑星に何があるのかを知りたがっています。探求したい、もっと知りたい、意味を理解したいという強い衝動を抱えています。

探究心のおかげで人間は種として生き残り、繁栄してきましたが、そのせいでじっとしていられない側面もあります。何かしていなければ、と常に思ってしまうのです。人間は、「何かをする」ことをとても狭い意味で捉えるようにもなりました。「何かをする」とはつまり、忙しくしていること。それもずっとです。

ソクラテスは、余裕のない生活は味気ない、と忠告しました。常に忙しくしていては、生活に必要なリズムが失われてしまう、というのです。**私たちは「何かをする」ことと「何もしない」ことの差を見失いつつあります**。ここに大きな振れ幅があってこそ、自然であり健康でいられるのに。ハンモックの上にいるように活動と休息のあいだを行ったり来たりして、どちらも同じくらい大切にするべきなのです。

私たちにはもっと質のよい休息が必要です。自分を休ませるため、そして人生をもっと豊かにするために。

休息は心身の健康だけでなく、生産性にもよい効果を与えます。インターネットを眺めていると、**自分で自分を癒やす「セルフケア」の時代が来ていることを実感します**。一番のセルフケアは休むことだと、私は主張したいのです。ところが、私たちには休息が足りていません。これが、「休息調査（Rest Test）」で得た最大の発見です。

休息調査とは、この本のもととなった大規模なアンケート調査で、135ヵ国から1万8000人が参加してくれました。

後ほど述べますが、この調査からわかった重要な点に「多くの人が十分な休息をとれていないと感じている」という事実があります。回答者の3分の2が休息不足を自覚し、もっと休みたいと思っていました。女性の休息時間は男性と比べて1日平均10分短く、誰かの世話をする必要のある人の休息時間も短めでした。何よりも、男女ともに若い人々が、仕事がパートタイムかフルタイムかに関係なく休息が足りないと強く感じていました。

若者はストレスを抱えていてプレッシャーと日々闘っている、という世間の認識と一致しますね。


2019年1月付けのBuzzfeedの記事『ミレニアル世代はどのようにして「燃え尽き世代」になったのか』は、広く拡散されました。記者のアン・ヘレン・ピーターセンは冒頭で、ToDoリストに挙げたタスクをひとつも消化できない「雑用麻痺」の状態にどうして陥ってしまうのかを語っています。

苦しむミレニアル世代の若者を軽べつのまなざしで見て「スノーフレーク世代」「若者をもろい雪の結晶にたとえている」と揶揄(やゆ)する上の世代もいます。でも、ピーターセンたち若者は何かを悟っているのだと私は思うのです。

未処理のメールが溜まった受信箱を「恥の受信箱」と呼ぶピーターセンの気持ちはよくわかります。私も5万449件のメールを受信箱に抱えているので。とはいえ若者の問題は、未処理のメールどころではなく深刻なのですが。

いまの時代を生きる20代は、間違いなく大変な思いをしているでしょう。大学や職場でのし烈な競争を勝ち抜かねばならず、住む地域によっては一生借家を渡り歩くしかない未来が見えています。親よりも金持ちになるという夢も消えつつあり、お年寄り世代が恩恵を受けている年金制度にもほとんど期待できません。

でも、X世代やベビーブーマーたちだって、プレッシャーを受けて生きてきました。ミレニアル世代のほうが、さほど抵抗なく辛さを口にするのかもしれませんが、世代に関係なくきっとほぼすべての人が、終わりの見えないToDoリストにストレスを感じているはずです。

21世紀前半の労働習慣、ライフスタイル、テクノロジーが合わさって、絶え間なく何かをしろと要求される世界がつくりあげられています。ハイテクな携帯電話がいまにも鳴るかもしれないと怯えながら休息をとり、常にスタンバイの状態でいるのです。

私たちには休んでいるという実感がありません。休みたいと思っていて、本当はもっと休んでもいいはずで、もしかすると自分で思うよりもしっかり休んでいるかもしれないのに。

私も自分を休ませるのがあまり得意ではありません。休息について考えるようになる前はもっとひどいものでした。感情、時間の捉え方、お金の心理学の本を出してきて、次は休息について書きはじめていると友人に話すと、ほぼ決まってこう言われました。「えっ？　働いてばかりで、休んでないあなたが？」

誰かに「最近どう？」と聞かれたら、私はつい「元気よ、忙しいわ、忙しすぎるくらい」などと返します。忙しいのは事実ですが、見栄も入っているのでしょう。だって、忙しいとはつまり、自分が求められているということですから。

時間の使い方を研究するジョナサン・ゲルシュニーは、忙しさが「名誉の勲章」になっているると表現しています。有閑さが特別視された19世紀とは対照的に、21世紀の私たちに社会的地位を与えるのは仕事です。忙しさがその人の重要性を示す裏で、みんな疲れ切っているのです。

そして私の場合、仕事の時間に本当に仕事だけをしているとも言えません。

この本の執筆や調査に取り組むあいだにも、**仕事をしていない時間が同じくらいありました。**フェイスブックやツイッターにちょくちょく気を取られ、定期的に紅茶を淹れに行きます。二階の書斎のデスクから通りを見下ろし、隣人たちが立ち話をしているのを見つけるといつもうれしくなります。面白い話を聞き逃したくないので、ついつい出て行って話の輪に加わってしまいます。

こうしたちょっとした気晴らしを繰り返したところで、どの程度休息が得られるかは、また別の問題です。気晴らしをしていても、必ずどこか追い立てられている気持ちになります。やるべきことすべてを終わらせた世界にたどり着けたらいいのに、と願うばかり。ＴｏＤｏリストにチェックマークがずらりと並んで、やっとリラックスできる……。

でも、その幸せな世界にはどうしてもたどり着けず、目の前のタスクに手をつけてすらいないくせに、不安な気持ちを抱えてばかりいるのです。

休息が足りていないという認識も、実際の休息不足も、さまざまな面に悪影響を及ぼします。イギリスではいま50万人が仕事関係のストレスを抱えています。アメリカでは、職場で発生した怪我のうち13％が疲労によるものとされています。仕事中に居眠りをした経験がある人は全体の25％を超え、16％は運転中の居眠りを経験しています。自分の生活に加えて、誰かの面倒を見て家事をして雑多な用事をこなさなければならないとしたら、４人に３人が過去１年間にストレスに押しつぶされたり対処しきれなかったりしたと聞いても、不思議には思いません。溜まった疲労は、認識能力にきわめて大きな影響を与えることがあります。元気なときには簡単に思える仕事も、疲れているとずっと難しくなります。

疲労は、ど忘れ、感情の鈍麻、集中力の低下、理解力の欠如、判断力の低下などに繋がります。パイロットや医者には決してなってほしくない状態ですね。

休息不足は大人だけの問題ではありません。授業をなるべく多く詰め込むために、ここ20年間で学校の休み時間は短くなりました。たとえば、イギリスの公立中等学校で午後に休み時間があるのは、いまや全体のわずか１％です。

休憩が集中力を向上させるエビデンスは十分にあるので、休憩時間の短縮は試験の成績向上には逆効果と言えます。しかも、友達との交流や運動の機会を奪ってもいます。

睡眠不足が引き起こす数多くの症状に対する理解は進んできています。症状とは、２型糖尿病、心臓病、脳卒中、高血圧、疼痛（とうつう）、炎症反応、気分障害、記憶障害、メタボリックシンドローム、肥満、大腸がんなど、平均余命を縮めうるものばかりです。

一方で、休息不足はいまのところ、睡眠不足ほど理解されていません。心身を休める時間を持つことが判断力を高め、うつ病リスクを下げ、記憶力を上げ、風邪にかかりにくくすると証明されているというのに。

だから、**十分な休息は十分な睡眠と同じくらい重要だ**と私は伝えたいのです。これは休息を呼びかける本です。休息に価値を見出し、見直し、謳歌するべきときがきています。休息は贅沢品ではなく、必需品なのです。


では、そもそも休息とは何なのでしょうか。

■ 真の休息とは?

自由　充足感　温かい　元気の回復　暗い　横になる
空想　甘美　かっこいい　浄化　静寂　必要
ぼーっとする　素晴らしい　安全　穏やか　癒やし　貴重　プライベート
切望　何も考えない　気持ちが高揚する

これは、休息調査での「あなたにとって休息とは?」という問いに対する、1万8000人の回答から抜き出した言葉です。

次のような言葉もありました。

> **面白くない　はかない　落ち着かない　難しい　やるせない　イライラする**
> **罪悪感　正しくない　暇　面倒　わがまま　自分本位**
> **とらえどころのない　心配　時間の無駄**

休息が持つ意味は人によってさまざまであることがわかります。医学系の研究論文では、しばしば睡眠と休息が同じ意味で使われています。しかし、休息には数多くの手段があり、睡眠よりも複雑です。

ここではっきりとさせておきますが、私が言う「休息」には、起きているあいだにとることのできる、安らげる行動すべてを含みます。

この本では、そのなかでも特に人気のある休息法のみに絞って書くことにします。休息の最中に眠ってしまうこともあるでしょう。この本を読みながら寝落ちしたとしても、必ずしも悪いことではありません。ただし、睡眠と休息は明らかに別物なのです。

休息はなんと、肉体的な力、サッカーやランニングのように激しい運動をともなう場合もああります。強い運動で身体を疲れさせてこそ精神を休めることができ、身体を動かしている最中にこそ休息をとれる人もいるのです。

それでも、運動をやりきった後のほうが安らげる、と感じる人のほうが多数派でしょう。全力で取り組んで目標を達成したあとの爽快な満足感を、誰もが味わったことがあるはずです。『旧約聖書』の「伝道の書」にある「働く男は、快く眠る」という節に、「頑張る女は、快く休む」と付け足したくなります。

それに対して、静かな休み方もあります。座り心地のよい椅子に腰掛けたり、湯を張ったバスタブに横たわったりする休息方法は、広く浸透しています。そして重要なのは、単に身体を休めることだけではありません。身体がしっかりと休まってはじめて頭を休められると、多くの人が感じています。ただし、ここでも定義は人それぞれ。精神的な負担がいっさいないのが休息だと感じる人もいれば、ジェイムズ・ジョイスの小説『フィネガンズ・ウェイク』を読んだり難しいクロスワードを解いたりすることでくつろげる人もいます。

仕事は多くの人にとって休息とは言えません。三人に二人が、休息と仕事は正反対のものと考えています。

ただし、これは仕事をどう定義づけるかによるでしょう。家でいつも小さな子どもや病気の家族の世話をしている人なら、オフィスや店舗で過ごす時間のほうが安らげるかもしれません。

もちろん、仕事から離れられる週末や休暇こそが休息の時間だと捉える人もたくさんいるはずです。

　ワークライフバランスの改善が必要だと言われますが、仕事と私生活の適切なバランスはどうしても主観的になります。解雇や病気で休息を余儀なくされ、何もしない時間がずっと多くなってしまえば、安らぎよりも落ち着かなさを感じるでしょう。元気に外へ出たくても、みじめにおとなしくするしかない環境に縛られてしまいます。また、痛みやうつ病でベッドから起き上がれない人は、寝転んではいても容赦なく体力を消耗し、疲弊します。監房の寝床に横たわって何時間も天井を眺める囚人を想像してみてください。このような状況では真の休息など得られません。


　休息の本質に迫るには、語源を探ってみるのがよさそうです。

　古英語「ræst」の語源は古高ドイツ語「rasta」と古ノルド語「rost」と言われています。このふたつには「休息」という意味のほかに、「マイル（道のり）」や「最後に休憩してから進んだ距離」という意味も含まれていたと考えられています。つまり、活動中や活動後に休息があるという概念が、語源からもわかります。

　常に休んでいたら休息をとった気分にはなれませんが、適切な間隔をあけてとる休息は必要です。とっていいのです。活動と休息を交互に繰り返してやっと、本当に安らいだ状態になれるでしょう。

休息調査が、このことを実証しています。**しっかりと休めていると感じている回答者の幸福度スコアは、休息不足を感じている回答者のスコアの2倍でした。**

ただし、**休息には最適な長さがある**ようなのです。必要以上に長く休息をとると、幸福度スコアは下がりはじめました。

さらに、休息が持つ健康効果は、休息を強制された瞬間に消えてしまいます。すべてバランスの問題なのです。

一人ひとりに合わせて、休息の適切な服用量が書かれた処方箋があればいいのですが、医者から勧められる休息の方法と量はいつも曖昧です。

「休みなさい」とは、ずっとベッドに寝ていることを指すのでしょうか。それとも趣味に没頭したり友人に会いに出かけたり、自分が安らげると感じることをすべきなのでしょうか。

これに関しては、自分で判断するほかありません。自己診断、自己処方。でもだからといって、他人から学べないというわけではありません。各自のやり方で休息をとったとしても、いろいろな休息方法に共通する要素はたくさんあるのです。

■ 休息調査を行ってみて

さきほど少し紹介しましたが、この本で私が伝えたいことを裏付けてくれるのが、「休息調査」という大規模なアンケート調査です。

ことの発端は、休息を研究するチームに2年間所属したことでした。ダラム大学の出身者が多く属する多様な専門家のチームでした。チームは幸運にも、ロンドンのウェルカムコレクションという革新的な博物館の5階の最初の住人となる許可をもらいました。

これを聞いた友人にはこう言われました。「楽ちんねえ、ただ展示品みたいにジーッと座ってればいいってこと？」

ひとつ買ったハンモックは来訪者に大人気でしたが、もちろん、そんなわけはありません。チームには歴史学者、詩人、芸術家、心理学者、神経科学者、地理学者、それから作曲家までいて、みんなが才能にあふれ、意欲に満ちた活気ある人たちでした。

私たちはこのプロジェクトに専念し、2年間で展示会や数々のイベントを開催し、書籍、学術論文、詩、オリジナルの曲などを発表して、うち1曲はBBCラジオ3でランキング1位を取りました。拠点となった博物館は、ロンドン中心部の常に人が行き交うユーストン・ロード沿いにあります。チーム名は、悩み抜いた末にHubbub（ざわめき、騒ぎ、混沌、ごちゃ混ぜという意味）に決めました。日々のざわめきや騒がしさが、静寂や安らぎ、休息の機会を奪いがちであることの戒めです。また、現代社会での有意義な休息とは、忙しい生活を捨てることではなく、仕事・休息・遊びのよりよいバランスを探り、実践することだとも示唆しています。

博物館内のオフィスを借りられる期間が半分過ぎた頃、Hubbub チームは休息調査というオンラインアンケートを作成し、ＢＢＣラジオ４の「All In Mind」とワールドサービスの「Health Check」という、私の担当番組で参加を呼びかけました。

アンケートの前半では、休息をどのくらいとっているか、理想としてはどのくらいとりたいか、何をしているときに最も休息できるか、を尋ねました。後半では、回答者の性格と心身の健康度を尋ね、思考を移ろわせる習慣があるかを測る質問をしました。

このアンケート調査を始めたときは、賭けに出たような気持ちでした。休息がテーマの40分間もかかるアンケートにどのくらいの人が興味を持ってくれるのか、さっぱりわからなかったのです。

でも始まってみると、休息とは世界中の大勢の人々にとって差し迫った問題であることが明らかになりました。１３５ヵ国から1万８０００人が参加してくれたのです。

この反応の大きさに、私たちは驚き、うれしく思いました。

その後、回答者が休息になると挙げた活動のトップ10を私が一つひとつ詳しく掘り下げて、この本ができました。驚きの事実も明らかになっています。たとえば、友人や家族と一緒に過ごすことは第12位。トップ10に入りませんでした。

他人と繋がり合うことが人生の醍醐味だとよく言われるのを考えると、不可解な結果です。ポジティブ心理学の何十年間にもわたる研究結果によれば、最も幸福度の高い人たちが手にしているのは、仕事の成功でも健康でも、お金や知能でもなく、楽しいと感じられる人間関係だそうです。

詩人ウィリアム・モリスだってこう述べています。「交友とは天国で、交友のない人生は地獄だ。交友とは生で、交友のない人生とは死だ」。でも、忘れないでほしいのは、私たちが追究したのは幸せを感じる活動ではなく、最も休息になる活動です。

それを踏まえると、トップ5の活動がどれもたいてい一人きりで行われることは、重大な発見です。**人は休むときには、他人から距離を置きたい**のでしょう。

トップ10に入らなかった活動のひとつに、私の大好きなガーデニングがありました。ガーデニングをしていると、身体は動いていても、まるで何もしていないときのように頭の中のスイッチが切られます。私にはとてもいい休息になるのです。

ガーデニング中は屋外で時間を過ごし、指のあいだで土の感触を味わい、ときには背に日光を受けます。何が好きかって、私が庭に思いと労力を注いだら、あとは自然がほぼすべての作業を勝手にやっておいてくれるところです。いつもとはいきませんが、素晴らしく満足のいく結果もついてきます。

天候のせいで、ガーデニングはいつも予測不能です。もちろん、経験で補うことはできます。時間をかけるうちに、自分の庭で何がよく育ち、育たないかがだんだんわかってきます。

専門家のアドバイスをもらうこともできますが、暑さや寒さが続いたり雨期になったり、ナメクジにカタツムリにリスにキツネの対策なんてやっていると、助言なんて意味をなさないことがあります。

庭が完璧な形にたどり着く日など決してきませんが、隅々まで整えていけば、もうすぐ完璧な形に到達するのではないかという気分になれます。

これこそガーデニングの魅力で、よくできたゲームみたいにスキル（適切な植物、位置）と運（適切な天候、時期）の絶妙な組み合わせでできているのです。

それでも、ガーデニングはトップ10には入らず、アートや手づくり、ペットと過ごすことも同じでした。

もうひとつ、トップ10圏外と聞くとみなさんが意外に感じるものがあります。**インターネットやソーシャルメディアを楽しむことは休息手段のリスト上位に入らなかった**のです。ネットサーフィン、自撮りのアップロード、ＳＮＳをチェックする時間はおそらく増えていて、楽しい思いもしているというのに。休息にはなっていないと、多くの人が自覚しているようです。

気になるトップ10は、次の章から先を読むとわかります。

休息についてあらためて考え、人生での休息の位置づけを意識するきっかけを、私から皆さんに提供できるとありがたいと考えています。

この本を読み終える頃には、読者の皆さんが、休息の処方箋と時間の使い方についての新たな視点を手に入れていることを願っています。

この本では、世界中の人が選んだトップ10の行動を、第10位から順に見ていきます。そして、それらが「休息」となる証拠を探っていきます。

緑あふれる自然のなかで過ごすのは素敵に思えますが、休息になると証明できるのでしょうか？　証明とは、その活動がもたらすよい効果をしっかりと科学的に測定することを意味します。

この本では、現代社会に広まっている常識を覆すことも出てきます。マインドフルネスはうつ病の人ほぼ全員に効果がある、テレビは時間の無駄、ぼーっと空想にふけらず集中を保ったほうがいい、などは思い込みであることを検証します。

同じ活動がみんなにとって休息になるわけではありません。あなたにとって休息になりそうな何かをこの本で見つけてもらえたら幸いです。

トップ10の活動すべてが魅力的には思えないでしょう。でも、一人ひとりが休息のコツを何かしら知っていて、それを互いに学び合えると思うのです。安らぎを生み出す活動の大切さについて知れば知るほど、意識的に、かつ罪悪感を持たずに休めるようになります。

この本では、ミュージックチャートのように、休息調査の第10位から順に第1位まで発表していきます。

先にお伝えしておきますが、うれしいことに、一番人気の休息方法は読書でした。たくさんの人たちの意見をぜひ読んでみてください。1万8000人が言うのだから、間違いないでしょう！

この本をぜひ楽しんでください。一番の休息方法は読書。休息を扱った本を読むとなると、いったいどれほどくつろげるのでしょうか。

人気の休息

第10位 マインドフルネス

THE ART OF REST

問題 マインドフルネスの講師が好きな食べ物は?

答え レーズン

マインドフルネスのクラスに参加すると、どこかのタイミングでレーズンの小箱が出てきて、1粒手渡されます。ラジオ番組でマインドフルネスの専門家たちにインタビューをしたとき、私も何度か手渡されました。

正直に言うと、「ほら、また。そのまま食べちゃいけないレーズン」と思っていました。それでも、その1粒の小さなレーズンを使ったエクササイズは毎回効果を発揮します。マインドフルネスで何でも解決できるという説には懐疑的な私でも、このレーズン・エクササイズについては「素晴らしい」と言い切れます。

エクササイズはたいてい、次のように行われます。

まず、レーズンを指先でつまんで、じっくりと観察します。表面に刻まれたしわ、溝がつくる影、盛り上がった部分に光が当たってつやつやと輝く様子を眺めます。さまざまな角度から観察して、色のトーンの微妙な違いを味わいます。

次に、手のひらに乗せてみましょう。重さを感じますか？ 耳のあたりまで持ち上げてみましょう。貝殻を耳にあてるときのように、音を聞いてみます。ぎゅっとつぶすと何か聞こえますか？ ビーチに打ち寄せる波の音は聞こえません。レーズンの感触はどうでしょう？ 少し温かく、ぐにゃりとしてきたのではないでしょうか。表面のでこぼこを感じますか？ 反対の手に持ち替えてみましょう。感触は同じですか？ 違いますか？ 違うなら、どのように違いますか？

こうしてレーズンを細かく観察するあいだに、いくつもの感覚を同時に呼び起こしていることに気づいたでしょうか。鼻の下に持っていきましょう。匂いはしますか？

マインドフルネスの講師はこういった調子で、「レーズンを口に入れてもいいですよ」と言うまでにたっぷり5分間はかけます。

でもやっと許可が出ても、ただ食べるわけではありません。まず、レーズンを舌の上に乗せて、その感覚を味わってみなければなりません。できれば30秒間、そのままで。それからやっと、ゆっくりと噛むことが許されます。甘み、唾液の流れ、噛んで飲み込むまでに得られる感覚など、口の中で起こるすべてを残らず受け止めながら。

これでようやく終わりです。あなたはレーズンをマインドフルに食べました。

これは何にでも応用できます。マインドフルに電車に乗る、マインドフルに犬の散歩をする、マインドフルに洗い物をする。

つまり、何を選ぶにしても、自分の五感に注意を払い、呼吸に意識を集中しながら行います。何かほかの考えが頭に浮かんで邪魔をしてきたとしても、無理に追い払う必要はありません。その考えを非難することなく、ただ観察して受け止めます。

日頃からマインドフルネスを実践している人や、これから始めようとしている人もいるかもしれません。もしくは、マインドフルネスは新時代の謎の儀式で、レーズンをゆっくり食べるなんて怪しすぎる、と思う人もいるかもしれません。

私は、マインドフルネスが万能薬ということには懐疑的です。いまや市場規模は数百万ドルにのぼるマインドフルネスが休息調査で第10位に終わったのは、象徴的でもあります。誰にでも効くものではないこと、そして、ときに万能薬だともてはやされながらも実はそうではないことがわかります。

ですが、マインドフルネスに傾倒したくない人でも、休息のとり方について学べることはたくさんあります。

マインドフルネスは何も新しいものではないという主張も当然あります。２５００年前から存在する数々の仏教系の瞑想法から、倫理、宗教、慈悲心に関する部分を取り除いて現代風にアレンジし、他人ではなく自分自身を助けるためと目的をすり替えたものにすぎない、という主張です。

「マインドフルネス」という言葉があらゆる瞑想法をひとくくりにする用語として使われているのも事実です。瞑想を行う宗教が数多くあり、たとえば密教として知られるタントラ教の一派にも不可思議な瞑想テクニックがたくさんあります。マインドフルネスの実践者や提唱者は、ここから技術を取り入れている可能性だってあります。

数々の伝統的な瞑想方法や、メンタルヘルスの改善を目的とした治療効果を謳う(うた)プログラム、マインドフルネスのアプリ、書籍、会社や近所のジムで開かれるクラスなどをすべて考慮に入れると、**マインドフルネスはひとことでは説明不可という主張にのみ、みんなが納得するのも当然です。**

マインドフルネスを実践しているといっても、それには多くのパターンが考えられます。古来の瞑想訓練を日々積み重ねている人、自分や他人について情け深く思いを馳せる人、思いを馳せる要素は入れない人、家でよくアプリを利用している人、シンプルに、現在に心をとどめて自分の五感に意識を集中しようとしている人もいるかもしれません。

多様なマインドフルネスの形をこれだけ挙げてみても、マインドフルネスの技術や科学、哲学、宗教性、療法が具体的にどのようなものであるかは理解できないのです。

私は、マインドフルネスの多様な形態や定義について議論するよりも、マインドフルネスがどのようなときに効果的か、あるいは逆効果なのかを明らかにする、堅実で信頼できる研究調査に興味があります。

というわけで、話を進めるためにも、ここで徹底的にシンプルに定義してしまいましょう。クリスマスに誰かからもらった『The Ladybird Book of Mindfulness』［マインドフルネスについて皮肉たっぷりに説明した大人向け絵本］。これに載っていた、「何もしていないのに、何かをしていると思い込むこと」という定義を、私はかなり気に入っています。

おそらくいま最もよく引用されるもう少し詳しい定義は、幅広い分野で崇められているジョン・カバット・ジンの言葉でしょう。１９７９年にマインドフルネスをベースにしたストレス低減法を開発したのを皮切りに、西洋諸国でマインドフルネスへの関心を再燃させた第一人者です。

カバット・ジンは、マインドフルネスとは「いまこの瞬間に、判断を加えることなく意図的に意識を集中させること」だと説明しています。

でも、これが私たちの休息にいったいどう役立つのでしょう。

■ 究極の静けさへの道

思考を野放しにしておくと、どこかをさまよいがちになります。あてもなく移ろいゆく考えごとを楽しめるときもありますが、厄介な方向に進むときもあります。自分を責め、過ぎたことをくよくよと考え、未来について不安になるなどです。

そんなときにマインドフルネスが力を発揮し、思考を現在にとどめる手助けをしてくれます。訓練すればするほど、ストレスを感じたり感情的になったりして辛いときでも、思考をいまここに簡単に戻せるようになります。

19世紀に活躍した哲学者で心理学者のウィリアム・ジェームズは、「心の持ちようを変えることで、自分を取り巻く環境を変えられる」と述べました。

マインドフルネスの訓練を筋力トレーニングにたとえる人もいますが、たしかに一理あります。慣れないうちは特に、休息からはほど遠いとも言えるでしょう。

学生の頃、週末に仏教センターで瞑想に参加したことがあります。自分がどれほど瞑想に向いていないか、まわりのみんなは平気に見えるのに、私の膝はどうしてこんなに痛いのかということばかりを考えて過ごした2日間でした。週末を終えてもまったく幸せな気分にはなれず、くたくたでした。これは決してめずらしい話ではないはずです。

マインドフルネスを支持する人は、根気よく継続するべきだと言います。続けていれば、いつかは休息になるときがくる、というのです。継続すればいつか安らぎとなる活動は、どれも同じなのでしょう。

私も、本気でガーデニングに取り組みはじめた頃は、集中力、計画、決断に加えて肉体的な作業も必要となり、休息というより労働に感じられました。

それでもいまは、ガーデニングのどのプロセスでも、毎年同じ作業を繰り返しても、安らぎを感じられます。人がやっと一人入れるほどの自分だけの小さな温室にいると、気持ちが楽になるのです。花壇の土を掘り返したり、玄関先の庭のデザインを考えたりしはじめると、たちまち楽しくてリラックスした気分になります。

ジョン・カバット・ジンは、マインドフルネス実践に労力が必要なのは当然だという考えでした。カバット・ジンが考案したマインドフルネスの本格的なコースでは、週2時間のセッションが8週間続き、コースの終わり頃には丸一日かけての修行もありました。

しかし、それ以上に大変なのは宿題です。「セッションのない6日間、毎日45分間を捻出し、『何もしない』訓練をすることです。いいですか。一日のうち、いつやるかは自由ですが、とにかく必ず45分、確保してください。楽しんでする必要はありません。ただやるのみです」。

きちんとやるには覚悟も必要なのです。私も何度も挑戦しました。マインドフルネスについてのパブリックイベントの司会を務めたときには参加者みんなでやりましたし、家で一人のときにも試してみました。自分の習慣にしようという決意を持って始めるのですが、続いたことはありません。

過去にインタビューをしたマインドフルネスの講師たちは、私のように興味本位で手を出す素人のことなど認めないのでは、と思いますが、どなたも心が広く、否定的な様子を見せませんでした。どんなときにも他人を批判したりはしないからなのでしょう。

心の平穏を手に入れるにはたいへんな努力が必要ですが、そこまでする価値はあるというジョン・カバット・ジンの主張も、間違いなく正しいのです。「究極の静けさを体感し、それに心の平静がともなうときがある。それだけでも、マインドフルネスに浸る時間をときどき持つ十分な理由になります」と彼は話しています。

■ なぜマインドフルネスが休息になるのか

究極の静けさというとものすごく休息によさそうですが、ひとつ引っかかる点があります。慣れるまではとても辛いマインドフルネスから、本当に安らぎを得られるのでしょうか。最初から安らげなくていいのでしょうか。

休息調査ではマインドフルネスは第10位でしたが、1万8000人中4000人以上が休息になると答えました。なぜこれほど支持されているのでしょう。

まず、マインドフルネスは行う人に厳しい規律を課します。真面目に取り組もうとすると、そのあいだは**マインドフルネスだけ**をすることになります。ほかには何もできません。ラジオもテレビもなく、携帯電話の通知も切り、パソコンも消し、BGMもありません。日々の喧騒もやらなければならないことも心を乱すものも、すべてを締め出します。

要するに、**本当の意味でマインドフルな状態になるのは難しいとしても、マインドフルネスに専念すること自体が休息に繋がる**のです。

慣れてしまえば、マインドフルネスの実践中は、言わなければよかった言葉を思い出したり、不安で仕方がない翌日のミーティングを想像したりするのをやめることができます。自意識が低くなり、他人が自分をどう見るだろうかという心配から一時的に解放されます。頭の中のお喋りにあらがうのではなく、認めてやります。頭の中に存在させたまま、耳を傾けないようにするのです。浮かんでは消える考えごとを観察しては受け入れ、批判はしません。考えごとに善悪はなく、ただ思考があるのみ。マインドフルネスは感情からも一時的に解放してくれます。

このように利点を並べてみると、マインドフルネスを理想的な休息の形だと感じる人が多いのも、不思議ではありません。

正式なやり方でマインドフルネスを実践するのは年に一度あるかないかの私でさえ、「いまこの瞬間」に意識を集中させることが、どれほど力を持ちうるかを実感したことがあります。

昔、コメディアンのルビー・ワックスへのインタビューを依頼されたことがありました。ロンドンのバービカン・シアターの大観衆を前に、ステージに上がって行うのです。めずらしいとは思いますが、私はステージが大好きで、かなり慣れてもいます。インタビューだって、ほとんどはラジオの収録スタジオで行ったとはいえ、何万回も経験しています。でもそのときばかりは違いました。相手は単に有名なだけではなく、人並み外れて頭の回転が速い人物です。

イベントが始まる前に、ワックスと私は聖歌隊とオーケストラがまるごと収まる巨大なステージに上がってみました。ステージの真ん中に椅子が２つ置かれていて、その向かいには１５００もの客席が並んでいました。

私は不安に襲われました。どうしてこの仕事を受けてしまったんだろう。どうにかして逃げ出せないだろうか。観客たちが入ってくるまで、私たちは楽屋で待機しました。

ステージに上がる時間が近づくと舞台袖に移動し、見たことのないほど大量の鏡が並ぶところで待ちました。オーケストラが舞台に上がる前に、全員が一斉に身だしなみの最終確認を行う場所です。客席に座る人々の映像と声が届くモニターもありました。おびただしい数の人、大観衆が見えました。

そのインタビューではうつ病のこと、ルビー・ワックスがうつ病と闘うためにマインドフルネスをいかに学んだかについて、話を聞くことになっていました。そのため、イベントの中盤でマインドフルネスの講師がステージに加わり、観客も巻き込んで簡単なエクササイズを行う予定でした。

あと1分でステージに上がる時間だと舞台監督から告げられると、講師がルビー・ワックスと私の気持ちを落ち着けようと、すぐにできるマインドフルネスを、ステージに続くドアの前で教えてくれました。ルビー・ワックスほどの有名人も緊張するのだと知って私は安心したものです。

足に意識を向け、地面と接する部分が頑丈な土台だとイメージします。足と胴体の感覚を研ぎ澄ませます。空気が肺に入ってきて、出て行く様子を観察します。そして息を止めます。数秒待ったらまた呼吸して止め、ただその場に存在します……。

実践しているうちに、ステージに上がる時間がきました。効果は絶大。大観衆の前で有名人にインタビューするという現実にパニックを起こしそうになり、不安に満ちていた気持ちが一変、穏やかな感覚が波のように押し寄せました。ステージに上がり、席についた私は、「安らいでいる」としか言いようのない状態にありました。

マインドフルネスは辛いときに穏やかな感覚をもたらすだけでなく、さらに大きな力を持っています。いまこそ休息が必要だ、と教えてくれるのです。自分の身体と心の声を聞くので、その兆候に気がつくことができます。

たとえば肩にぎゅっと力が入ってこわばっている、周りの人にイライラしているなどです。自分をより正しく認識すれば、イライラの原因と思っていた人や物事は実は関係がなく、ただ疲れて参っていたのだとわかるかもしれません。これに早く気がつくほど、どうにかして自分を休ませる時間をとらねばと早く決断できます。休息にマインドフルネスは必須ではありませんが、まずマインドフルネスを実践することで早く気がつけるのです。

■　マインドフルネスを巡るデータは万能ではない

マインドフルネスが人間の心に与える効果を測るには、データが必要です。マインドフルネスを取り入れる職場や学校、さらには刑務所は、近年増えています。多大な人気を得たものが何でもそうなるように、マインドフルネスも必然的に厳しい目で審査されるようになりました。

あるマインドフルネス法を実践したら特定のグループに対して大きな効果があった、という限定的なデータが多いのに、それを無視して万能薬のように取り扱われることがあまりにも多く見受けられます。行われた実験の数は多いですが小規模なものばかりで、被験者も自分の意思でマインドフルネスを学ぶ人が大半です。そのため、決まった層を対象にして結果を偏らせているのでは、と受け取らざるをえないのです。

とはいえ、特にここ20年ほどでとてもよい実験も行われ、意義深い結果を残しています。問題なのは、どんなマインドフルネスの実践法も有効である証拠として実験結果が利用されることです。効果が証明されたのは、きちんと体系化された正式なクラスでマインドフルネスを行った場合のみ。何もかもが一緒くたにされていますが、クラスや実践法に関係なく同程度の効果があるとは言えないのです。

マインドフルネス議員連盟が発表した、医療現場、教育現場、職場、工場、刑務所におけるマインドフルネスの有効活用を呼びかける資料があります。これにさえ、職場で収集したデータには「ムラがある」こと、学校で収集したデータには現実との乖離があること、現在流行中のマインドフルネスに研究が追いついていないことが書き添えられています。証拠となるデータが全体的に少なく残念だとも。言うまでもなく、よい研究が増えることが急務です。特にマインドフルネスが誰に効果があり誰にないのかを追究する研究です。

幸い、その取り組みはすでに始まっています。ウィスコンシン大学のワイスマン脳映像・行動研究室のリチャード・デビッドソン教授は、１００人以上からなるチームを率いてマインドフルネスの実情とデータとの乖離を埋めるべく研究を進めており、答えが出ない謎が数多くあると認めています。

現在進行中の大規模な実験のなかには、イギリスの10代３５００人にマインドフルネスを学ばせ、５年間かけて効果を追跡するものもあります。

この分野で最大の影響力を持つ研究のひとつが、オックスフォード大学のオックスフォード・マインドフルネスセンターで実施されています。マインドフルネス認知療法（ＭＢＣＴ）と呼ばれる独自の治療プログラムを開発した組織です。研究では、アメリカ式のコースに倣（なら）って週１回のセッションを８週間続けます。

ランダム化比較試験の結果、うつ病期間を合計３回以上経験した人に対してＭＢＣＴを適用すると、うつ病の再発リスクを半分に下げられることがわかりました。再発リスクが最も高い人たちに最大の効果を確認できたということです。うつ病発症経験が１～２回の人には大きな効果は見られませんでした。マインドフルネスはどんなうつ病にも効果があるとよく耳にするので、この結果は意外とも言えます。

オックスフォード・マインドフルネスセンター長のウィレム・クイケンは持続性のうつ病に悩む人々に大きな効果を確認できた理由として、次の見解を示しています。そのような人には思考の反すう、つまりネガティブなことを繰り返し考える傾向があり、マインドフルネスはそこにとりわけ働きかけるからだ、と。

マインドフルネスが身体の慢性的な痛みを和らげ、不安を解消し、ドラッグ中毒者の欲求を抑えるケースもあると示すデータも存在します。

一方で、必ずしもほかの心理学的介入の手法よりも効果的とは言えないと結論づける研究結果もあります。こうした研究では基準を適切に高く設定し、マインドフルネスが重い症状を緩和するかを確かめようとしています。

マインドフルネスで安らげるかというテーマなら、もっと単純です。記憶力、注意力、気分、創造力、瞬発力の向上に加えて、血圧を下げて免疫システムを増強する効果もあると、何度も確認されています。

ある実験によれば、マインドフルネスを通して優しさも育めるそうです。アプリを2週間使った後、またはクラスに8週間通った後には、被験者が松葉杖をつく人に手助けを申し出る確率が上がりました。

自分の感情と頭の中の絶え間ないお喋りの両方から逃避して本格的に休息することに関して

は、神経科学の研究にとても興味深いものがあります。

脳の奥にあるアーモンドのような形をした扁桃体は、恐怖を感じたときに立ち向かったり逃げたりする反応の処理をつかさどる器官です。マインドフルネスによりこの扁桃体の活動が抑えられることがわかっています。

注意すべきは、このような研究はたいてい、何十年間もかけて瞑想の訓練に何千時間も費やしてきたベテランの仏教信者を対象に行われる点です。

リチャード・デビッドソンのチームが選んだのも、平均累計2万7000時間も瞑想を積み重ねてきたヨガ行者です。この研究からは、驚くべき事実が判明しました。ヨガ行者の脳が休んでいて、特に瞑想も何もせず脳スキャン装置内に横たわっているだけでも、瞑想中の人と同じような活動が脳内に見られたのです。彼らにとってマインドフルネスはごく自然なものということです。

2万7000時間にわたる瞑想なんてしてこなかった皆さんのために、マインドフルネスをわずか2週間実践するだけでも脳の活動にはっきりと変化が現れるという研究結果を紹介します。

2013年にデビッドソンのチームが行った研究では、30分間のオーディオプログラム2種類のいずれかを、無作為に各被験者に割り当てました。

ひとつ目のプログラムは、思いやりや哀れみの気持ちに焦点を置いた瞑想法を指導するものでした。被験者はまず親しい友人を思い浮かべ、その友人が抱える苦しみを想像してから、友人が解放されるよう願うことに集中します。次に同じことを自分自身、続いて見知らぬ人に、それから、そう考えるのが難しい相手に対しても願います。

もうひとつのオーディオプログラムでは、認知行動療法の典型的な手法を用いました。被験者はストレスを感じた過去の出来事を思い出し、そのときの感情や思考を詳しく説明するよう指示されます。説明を終えたら、同じ出来事をその場にいた別の人からの視点でもう一度見てみます。

プログラム開始から2週間後、人が苦しむ様子を写した写真を被験者に見せ、そのときの脳をスキャンしました。

結果、瞑想を実践したグループでは脳のさまざまな部分の動きに変化が見られました。そのなかには、他者の感情の理解と自分の感情の制御に関係のある下頭頂皮質と背外側前頭前皮質も含まれていました。

瞑想をしたグループは、お金を他人に自由に分配していくゲームでも寛大な行動をみせました。ただしデビッドソンは、このような変化はもろく、瞑想を続けなければ消えてしまうと言い添えています。

マインドフルネスは誰にでも合うわけではありません。瞑想に興味を抱いていた人でも、8週間のコースに申し込んだ人のうち約15％は脱落し、数ヵ月そして数年経てば、おそらくもっと大勢がやめてしまいます。

マインドフルネスから最も効果を得られるのはどんな人かを知ることができれば、自分が試してみる価値があるかどうかを判断できて便利です。しかしこれに関する研究はまだほとんどなされていません。

そもそも、もとからどの程度マインドフルの素質を持つかは、人によって異なります。これはアンケート調査で測定できます。たとえば、時計の秒針や外を車が通る音にどれだけ注意を払っているか、またはシャワーや入浴の際、皮膚の上を「水が流れる感覚に注意を向けて」いるかを尋ねるものです。

結局は性格の問題となるようですが、たとえば誠実性のスコアが高い人は、神経症傾向のスコアが高い（不安性の）人よりも、マインドフルネスのレベルが高くなりました。ただし、マインドフルであれば神経症になりにくいのか、自信がなく自分に注意を向けたがらない不安症がマインドフルネスの妨げとなるのか、どちらが先かはわかりません。

もとのマインドフルネスの基盤が弱い人ほど、マインドフルネスの効果を実感しやすいと示した研究もあります。逆の結論を出した研究もあります。

結局、十分に研究が重ねられるまでは、マインドフルネスが自分に合うかはとにかく試してみるほかないのです。

アメリカのピッツバーグにあるカーネギーメロン大学のデイヴィッド・クロスウェルは、マインドフルネスの広範な研究に従事しています。マインドフルネスがストレスへの緩衝材になるというのが彼の考えです。ストレスを感じる出来事に誰もが遭遇し、それぞれに対処します。何か嫌なことが起きたとき、マインドフルネスを学んだ人はそうでない人よりも、状況を広い視野で見ることに長けており、問題に対処しやすくなる。クロスウェルはそう考えています。

ケンブリッジ大学で大学院生を対象に行われた研究がこの説を証明しています。マインドフルネスのコースを受けた学生は、試験のストレスにうまく対処し、粘り強さを発揮したそうです。

■ マインドフルネスは日常生活に気軽に取り入れられる

マインドフルネスの一番のメリットは、日常生活に気軽に取り入れられるところでしょう。以前、私はバス停までマインドフルな状態で歩くという実践法を、マインドフルネス講師から教わりました。まず立ちます。地面にしっかりと足を付け、足、靴底と舗道との繋がりを感じます。歩き出したら一度にひとつの感覚のみに意識を向けます。往来の騒音、遠くの公園から聞こえてくる子どもの高い声、都会の匂い、道の舗装ブロックについた灰色の汚れなどをひとつずつ観察します。私は忙しい一日の始まりによくこれを実践します。いましている行為に集中しつつ五感を解放して、ペースを少し緩める――。

この単純な手法は、ほぼどんな行為にも応用できるはずです。

私が気に入っているマインドフルな呼吸法に、「四角の呼吸」と呼ばれるものがあります。マンディー・スティーヴンズから教わりました。スティーヴンズは経験豊富なメンタルヘルスの看護師で、大勢の看護師への指導や重い症状を抱える患者への対応を担っていました。あるとき、不安と憂うつからスティーヴンズ自身が精神をやられてしまい、気がつけばメンタルヘルス病棟に入院していたと言います。患者に幾度となく教えてきた四角の呼吸を、そのとき初めて自分のために実践したそうです。

私もこの呼吸法の効果を実感しています。やり方を説明しましょう。

パニックに襲われるのを感じたら、四角形を探します。正方形でも長方形でも大丈夫です。車の後部座席に座っているなら窓枠がいいかもしれません。オフィスなら壁の掲示物、家なら壁にかけた絵などです。どこにいても、何かしら四角いものが近くにあると思います。

その四角をじっと見つめ、息を吸いながら、左上の角から出発して右上の角へと辺をなぞっていくところを想像します。右上から右下へとなぞりながら息を止め、四角の底辺をなぞりながら息を吐き、左上に向かって上がりながらまた息を止めます。そしてまた右に向かいながら息を吸います。気持ちが落ち着いたと感じるまで、これを好きなだけ繰り返します。

私はマインドフルネスのために特別に時間をとっておらず、ガーデニングやランニングで安らぎを得ています。

しかし、イライラしがちな待ち時間をマインドフルネス実践の機会に変えようという努力はしています。電車が遅れているとき、電話口で待たされているとき、パソコンの画面であの憎たらしい小さな円がくるくると回りはじめたとき、いまこそマインドフルネスを実践するときだと思うよう努力しています。

呼吸に集中し、一つひとつの感覚を観察し、邪魔な考えがふと湧くのを受け入れて、できればそのまま逃がします。あくまで努力、いつもできるわけではありません。電話中は、言いたいことをできるだけしっかりと説明できるよう、問い合わせやクレーム内容を頭の中に用意したまま覚えておきたいときだってあります。

でも、いつもマインドフルネスを実践できたら、**私は時間を無駄にしているとか、誰かのせいで私の時間がなくなるなどといった感情は、立ち止まって休むありがたい機会を得られたという考え方に確実に変わる**でしょう。

アメリカの社会心理学者エレン・ランガーは、もっと簡単なやり方でもマインドフルネスの効果を得られると述べています。じっと座って正式な瞑想を行う必要はないというのがランガーの見方です。「気がつくという単純な行為」が人の幸福度を高めうる、ということです。

職場、周囲の人、いつも歩く道……、移ろい変化していくものすべてをしっかりと意識することで、その物事や人と関わりつづけ、関心を持ちつづけていられます。

さらに、不変のものがいかに貴重かを知ることで心が穏やかになり、満たされない気持ちが和らぐとランガーは述べています。ほとんどのものは移ろいゆくからです。


10年前に、マインドフルネスが休息方法のトップ10に入ったかどうかは疑問です。でも、いまランクインしているのには驚きません。マインドフルネスはすべて効果があるという支持者たちの主張は、証拠がまだ不十分です。休息を得る方法として適しているかについても、議論の余地が残ります。

それでも休息調査で第10位に選ばれ、この本の冒頭にマインドフルネスを掲載できて、第9位以降の9つの活動とも関係のある学びを得られたと思います。

休息調査の第1位から第9位までの多くが、人の認識に何かしらの変化をもたらすものです。田舎に出かけたり、音楽を聴いたり、小説に夢中になったりすることを通して、人は自分の軸を正します。うるさかった頭の中が静かになります。身体から無駄な力が抜けはじめます。自分のペースが緩まります。

マインドフルネスを実践していなくても、さまざまな活動のなかにマインドフルになる要素があるのです。

それからもうひとつ、マインドフルネス実践者から学べる大切な教えがあります。**休息のた**

めに時間を確保することの有益さです。携帯電話の通知を切り、15分間邪魔の入らない時間を持つだけで、安らぎに手が届くのです。

マインドフルネスがあなたに合うかどうかはわかりません。結局は、やってみてくださいとしか言えませんが、自分の人生を必ず変えてくれるという期待は持たないことです。

人気の休息

第9位

テレビ（動画コンテンツ）を見る

THE ART OF REST

・ゆったりとくつろげる小部屋でしょうか。少しのあいだ、何時間か、夢の世界に没頭できます。快適です。

・何も考えません。子どものことも妻のことも何も。自分もいません。学校にもいないし家にもいない。テレビ画面の中にいるんです。そこの人たちと一緒に。

・気分が一新されます。まるまる2時間、骨を休め、頭を休める以外には何もしません。その後に外に出ると、また5時間働ける状態に回復しています。

・穏やかでリラックスした気持ちになります。鎮静剤を飲んだかのように。

何についてのコメントかおわかりでしょうか?

約25年前にアメリカの研究者バーバラ・リーとロバート・リーが集めたフォーカスグループのインタビューで、四人の参加者が語ったことです。

テクノロジーの進歩とともに手段は変化してきましたが、いまも多くの人が休息時間として、テレビの前で1~2時間過ごします。

テレビは、私が一番好きな文化形態であり、主要なリラックス手段でもあります。疲れているときほど、テレビの電源を入れがちになります。足をソファーに上げてくつろぐこともあります。肉体的な労力は不要、精神面でもほぼ不要。とても面白い番組に出合うと、ついのめり込みます。誰かの人生に入り込んで、自分の人生を忘れます。我が家のリビングにいながらにして世界中を飛びまわれますし、何よりも、一緒にテレビを見る人と経験を分かち合えます。特に話したいと思わない限り会話はしませんが、並んで楽しく座ります。


テレビは多くの面で、休息の理想的な形なのです。


安らぎを生むという一面が、テレビの根強い人気のカギなのでしょう。

一方、テレビの視聴習慣は、間違いなく変わってきています。いまや大画面だけでなく、スマートフォンやノートパソコンでも視聴する時代です。見る番組やタイミングを自由に選べ、豊富な録画番組の中から見たいものをほんの数秒で呼び出せます。

でも、BBC One やアルジャジーラ、Netflix や YouTube のどれを選ぼうが、本質は変わりません。目の前で流れる動画を、ただ目と耳で受け止めるのです。

この章を進めるにあたり、こうした動画コンテンツすべてをテレビと呼ぶことにします。

世界規模で言うと、私たちは年に35億時間も映像を視聴しています。特にテレビドラマは黄金時代を迎え、ハリウッド映画のトップスターたちは、トップレベルの作家と監督がつくるテレビ用の作品にいつの間にか出たがるようになりました。

休息と言えばテレビ、という人は私だけではないと確信しています。

皆さんの毎晩のルーティーンもこのような感じでしょうか？　仕事を終えて帰宅し、さっと夕食を用意して、子どもを寝かせ、片付けを終えたらやっとソファーにどっかりと腰を下ろしてテレビをつけます。友人との飲み会、レストランでの食事、映画鑑賞などの外出を楽しんだ後、帰宅して結局何をするでしょう？　ベッドに入る前にちょっとくつろごうかと、短いお笑い番組などをつけるのではないでしょうか。

長い一日を終えて少し気分が優れないときや元気がないとき、多くの人がテレビをつけます。一人きりで、または家族と並んで、テレビに向かいます。簡単でなじみ深い過ごし方です。

だからこそ、テレビが休息調査で第9位に留まったのには興味をそそられます。もしかすると、テレビを見る行為の評判があまりよくないことが原因かもしれません。ほかの芸術形式が持つような、文化としての高い社会的地位をテレビは持ちません。

私は子ども向け番組「Why Don't You?」を見て育ちました。20年以上続いたご長寿番組で、正式な番組名は「Why Don't You Just Switch Off Your Television Set and Go Out and Do Something Less Boring Instead?(テレビを消して外に出てもうちょっと退屈じゃない遊びをしたら?)」でした。番組名から見事にリース的[公共放送において娯楽よりも教育と啓蒙を重視したBBC初代会長ジョン・リース]な香りがします。BBCの番組がえらく高尚なやり方で「テレビは子どもにはよくない」とほのめかしているのですから。

コメディアンのボブ・モーティマーが「Desert Island Discs(無人島に持っていきたいレコード)」という有名なラジオ番組に最近出演して、無人島に一人きりにされたらテレビがないのが何よりも寂しい、と話しました。

ラジオ4の看板プログラムであるこの番組が80年近く貫いているコンセプトは、なかなか秀逸です。ゲストは無人島にレコード8枚、『シェイクスピア全集』と聖書以外の本を1冊、それから嗜好品または贅沢品を1つ持って行けるという設定です。

ボブ・モーティマーに限らずほとんどの有名人出演者たちが、お気に入りのレコードと本と同じくらいテレビも好きなはずと私はにらんでいますが、贅沢品としてテレビを持っていくと宣言する人はほぼいません。

テレビはよくないものだと、私たちは長きにわたって決めつけてきました。見すぎると、テレビ型の四角い目に腐った脳みそのカウチポテト族［ソファーにただ横たわるだらけた姿をジャガイモにたとえた］になるぞ、と言われて育ちました。

俳優グルーチョ・マルクスは昔こう言ったそうです。「テレビは教育にとてもよいことがわかった。誰かがテレビをつけたら、私は別の部屋に移動して本を読むからね」。

こうしたテレビに対するマイナスイメージのせいで、テレビが好きだ、見ていると落ち着く、と認めるのに慎重になるのかもしれません。とはいえ、各自のお気に入りの休息活動トップ3に、女性や若者の多くがテレビを挙げたという事実には、興味を惹かれます（次世代を取り込めないのではないかと常に恐れているテレビ制作会社に安心してもらえるかもしれません）。

しかしテレビが好きだと認めようと認めまいと、視聴に関するデータは真実を語っています。テレビは間違いなく、いつの時代にも人気のある余暇の過ごし方です。

アメリカで行われた時間の使い方に関する研究では、平均すると人は75歳までに累計9年間をテレビ視聴に費やすことが明らかになりました。睡眠と仕事を除くとどの活動よりも長いそうで、私のようなテレビ擁護派さえ、はっと我に返ります。

でも、テレビの前で過ごす時間はとても心地よくありませんか？　それに、生きているあいだは常に活動的でやりがいがあって立派で記憶に残ることをしなければならないなんて、誰が言いましたか?

この本で一番訴えたいのは、**休むのはよいことであり、私たちはもっと休む時間を増やす努力をするべきである、**ということです。

この後の章で、テレビ視聴よりも身体を動かして確実に充足感を得る休息活動も見ていきます。でもマインドフルネスを実践するのもよいですし、少しのあいだマインドレスになる、つまり、ぼんやりするのも悪くありません。何かに集中せずに意識を漂わせたって、問題ありません。

テレビは手軽な現実逃避の手段です。やり方を学ぶために授業を受ける必要はありません。スパのように入場料なども必要ありません。練習もいりません。ただテレビ画面をオンにして、頭の中をオフにするだけ。画面にかじりつきましょう。完全に没頭しましょう。これ以上になく魅惑的な安らぎの時間の始まりです。

■ 精神安定剤としてのテレビ

テレビ視聴に関する研究調査を行う機関は数多くありますが、不思議なことに、休息という切り口で研究されることはほぼありません。テレビ視聴による悪影響ばかりを扱う傾向があります。考えてみれば当然なのかもしれません。テレビが休息によいかどうかを調べるので研究許可を得たい、と言っても「No Shit, Sherlock（いやいや当たり前でしょう）」と一蹴されるのでしょう（最近の素晴らしいドラマに『シャーロック』があります。『No Shit, Sherlock』という番組もいかにもありそうです）。

研究資金を提供する側は、テレビの暴力シーンが子どもに与える影響を調べるほうに融資したがるであろうことは、予想がつきます。確証しておくべき重要なテーマですから。それに比べれば、テレビが安らぎをもたらすか否か、どの程度もたらすかなどの研究はささいなことのように思えます。でもありがたいことに、少しは情報があります。

心理学者ミハイ・チクセントミハイは、人々が余暇を過ごす活動に何を選ぶか、喜びをもたらす活動の種類とは何かを調べる研究に、大きな影響を与えてきました。

１９８１年、チクセントミハイはシカゴに拠点を置く企業５社から募った大勢の被験者に、眠っている時間を除いて週に54回、無作為にポケットベルを鳴らす実験を行いました。ポケットベルが鳴るたびに、被験者はそのときしていたことを書き留め、そのときの感情についての質問に答える必要がありました。

それまでの研究には、テレビはよくて退屈、悪くて有害だと決めてかかる傾向が見られましたが、チクセントミハイが得た結果はそれに反するものでした。

被験者からの報告は、スポーツをしたりクラブに出かけたりするよりもテレビを見るほうが安らげることを示していました。それだけでなく、食事をとったりぶらぶら歩いたりするよりも安らげるという結果でした。テレビは被験者を無気力で受け身な状態にしましたが、少し気分を明るくもしていたのです。忙しい一日の終わりに、これ以上の何を望むでしょう。

テレビを見るのが好きなのは義務感がないからだと、被験者たちは答えました。愉快だと感じられるのは、実質ほぼ何の危険もないから。どれも休息の要素を完璧に表しているのではないでしょうか。

アメリカからキルギスタンに至るまで世界各国で行われた調査が、**テレビ視聴の魅力はリラックス効果だと示しています。多くの調査でリラックス効果が第1位に輝いてもいます。**

ある研究論文は、人は「テレビをバリアム［精神安定剤の商標］のように」使っていると表現しました。「何もしない」こと――後の章を読むとわかるようにこれも意外に難しいのですが――を除けばテレビを見る以上に何もしなくていい楽な活動は、そうないでしょう。

テレビは自分自身から逃避させてくれます。その日うまくいかなかったことを思い出し、明日の心配をする思考を止めてくれます。ほんのわずかな視聴でも、テレビはネガティブな考えを頭から追い出せる程度に気をそらしてくれます。

２００８年の研究によると、このような精神的な逃避は、気分が落ち込みがちな人や社会的不安を抱えがちな人にとりわけよい効果を与えるそうです。テレビを見て、自分が別の場所にいるように感じたり、登場人物に感情移入したりする傾向は、こうした人たちに最も多く見られました。

２０１８年に最もダウンロードされたテレビ番組から、テレビと休息について何かわかるかもしれません。第1位は『フレンズ』、マンハッタンの高級アパートで暮らす20代の男女たちが繰り広げるシチュエーション・コメディーでした。放送開始は１９９４年。いまや超有名人となったキャストたちが、大ぶりのヘアスタイルと垢抜けないファッションで演じていました。

これを書いているときにちょうど、『フレンズ』の息の長い人気に関するニュース記事が発表されました。多くのラジオ番組がこのニュースに触れ、時代遅れなシーンがあるにもかかわらずなぜこれほど人気が続くのかと、プレゼンターたちは不思議がっていました。

この根強い人気の理由について評論家が話すのを聞いて、私は感銘を受けました。疲れたときにどっかりと座り込んでまったく労力なしに見ることのできる、現実逃避にうってつけの番組だからということでした。

『フレンズ』の人気だけでなく、休息手段としてのテレビ自体の人気についても、評論家が言及してくれたならうれしいのですが。

（さきほど触れた２００８年の研究には、テレビで見る好きなキャラクターや出演者を尋ねる質問がありました。女性は『フレンズ』のレイチェル、男性は『ザ・シンプソンズ』のホーマー・シンプソンを一番に挙げました）

テレビ視聴の弊害がすでに恐れられていた１９５９年、社会学者のレオナルド・パーリン博士は時代の先を見ていました。アメリカ南部のある工業都市で、テレビ視聴習慣に関する聞き取り調査を７００人以上に行うと、参加者の90％超が、日常の煩わしさを忘れられるのでテレビが好きだ、と答えたのです。ストレスを強く感じている人ほど、現実逃避を目的にテレビを楽しむ傾向にありました。パーリン博士は、テレビは日々を生き抜くための「とりあえずのはけ口」になる、と結論づけました。

それから30年後、人は不安を感じたときに気晴らし目的でテレビを見ることが多いと、別の研究でも明らかにされています。

■テレビは社会的な潤滑油である

テレビは、他人と関わる必要性からも逃避させてくれます。同居人がいると一緒にテレビを見る機会は増えますが、会話を続けなければというプレッシャーがないのです。頑張る必要もありません。長時間ひとことも発しなくても問題なし。目を合わせる必要すらありません。それでも同じことをして感情を分かち合い、テレビ番組の内容に反応しながら互いの人間性を確認し合うことができます。

２０１８年、孤独をテーマにした大規模な研究プロジェクトに参加したとき、何人かの一人暮らしの人がこう話していました。「誰かとテレビを見る時間を一番恋しく思う」。他人とのくつろいだ付き合いがないことを寂しく感じているようでした。

テレビは「電気暖炉」と呼ばれてきました。先祖たちが火を囲んで物語を共有してきたように、私たちは画面の前に座って、視聴者のために撮影された物語を共有します。映像を見ながら話や議論をしたり、外で立ち話をするたびにテレビの話題を繰り返し持ち出したりします。最近は同じ番組を違うタイミングで見ることも多くなり、「ネタバレしないで！　最終回をまだ見てないから！　言わないで！」という哀願の声もよく聞きます。

少し前に紹介した、フォーカスグループをつくって調査をしたバーバラ・リーとロバート・リーは、テレビは「社会的潤滑油」の一種だと述べています。押しつけがましくならずに話題を提供してくれるからです。

人と一緒にテレビを見る喜びは軽視されがちです。テレビのよいところとしては、個人のプライバシーを確保できる点と、部屋を好みのホームシネマに変えられる点ばかりが強調されます。

しかも、学者たちは長きにわたってテレビ視聴とは社交性を欠く行為だと決めつけてきましたが、実は1990年の調査ですでに、一人よりも誰かと一緒に見るほうが好まれていることが証明されています。完全に口をつぐんで視聴するどころか、視聴時間の20％は会話をしているということもです。

家で一緒にテレビを見る人々を映した「Gogglebox」というリアリティー番組は、各家庭の居間でどのようなコメントが飛び交っているかを教えてくれます。

「すごい服着てない!?」

「あああ、あのサル可哀想。仲間はずれにされたと思ってる。嫌われてるってわかってるんだ」

「どうしてテレビの刑事はいつも電気を付けずに地下室に降りるわけ？　行っちゃだめ！　行くな！　なんでわざわざ行くんだよ！」

もっとも、いまはツイッターがあります。テレビ番組「Question Time」で政治家が目に余る発言をしたとき、北欧ノワールドラマが滑稽なほど現実離れしたエンディングを迎えたとき、テレビに向かって叫ぶことも、一緒に見ている人と憤りを共有することもできますが、全世界に向けて発信したり、世界中の人に気持ちを伝えている気分になったりすることもできるのです。

人生で一番深い傷を負ったときでさえも、テレビが安らぎをもたらし気晴らしとなることがあります。

近所に住む私の友人ジェリーは、国民保険サービス（ＮＨＳ）で重職に就いていました。サイクリングとバドミントンが趣味で文学好き、とりわけ詩に傾倒し、詩人シェイマス・ヒーニーのファンで、熱心な社会主義者でもありました。おいしい食べ物とワインをこよなく愛していました。家族を大切にし、話し好きで面白く、いつでも一緒にいて楽しい人でした。

ジェリーは55歳のとき、大腸がんと診断されました。はじめは命に別状はないだろうと思われていましたが、やがてジェリーも周りも、末期がんであることを知りました。

ジェリーは死についてとても率直に他人に話し、いつものように他人を気遣う会話をして、ひどく辛い話題にも周囲が居心地の悪さを感じずにすむよう努力していました。

ジェリーが亡くなる2ヵ月前頃から、家族と呼べるほどに親しい友人が毎週土曜の夜にジェリーを訪ねるようになりました。死ぬことや生きる意味などについて、意義深い話をして過ごしませんでした。代わりに、成人した子どもも含めて家族みんなでダンスコンテスト番組『Strictly』を見て過ごしました。ジェリー一家と友人にとってこれが毎週土曜の新しい日課となり、結びつきを強める新たな楽しみとなりました。

ジェリーを追悼する集いでその友人はこう懐かしんでいました。「ジェリーは、スパンコールが縫いつけられた衣装を見ては『なんともおかしな』とコメントし、審査結果を見ては『素晴らしい！』としょっちゅう叫んでいた」と。書評誌『London Review of Books』を端から端まで読むことで知られ、有名人が出るクイズ番組を見て仲間と楽しく過ごすことを癒やしとした、知的な人でした。

その場にいた全員にとってテレビは、ジェリーに回復の見込みがないという現実をすっかり忘れさせ、がんからの束の間の解放を与えてくれるものでした。

ジェリーの体調があまりに悪く、階下のソファーでテレビを見ようにもベッドから起き上がることのできない土曜の夜が、ついにやってきました。ジェリーがあと数日の命であることは明らかでした。

追悼の集いで友人は、「なんともおかしな、素晴らしい」日々だったと振り返りました。

テレビが、最期が近い人の日常を満たす存在となりつつあるのは、いまではよく聞く話です。老人ホームで年がら年中、最大音量でつけられているテレビは、もはや日常風景の一部です。平均的には、若者よりも、仕事を引退した人がテレビを長時間見ています。

テレビ漬けの文化をつくったのはミレニアル世代だろうと思うかもしれません。たしかに、次回の放送を１週間待つことなくシリーズ全話をまとめて見たり、何シリーズも続けて一気に見たりできる時代に育ったのは、ミレニアル世代が初めてです。

しかし、退職した人の多くはすでに何十年間にもわたってテレビ漬けを極めており、時折うたた寝を挟みながら日中に何時間もテレビに夢中になって過ごしています。年配の人は、平均すると余暇の半分以上をテレビ視聴に費やしているという調査結果も出ています。

だからこそ、**休息調査では年配の人が若者ほどテレビを休息方法として評価しなかった**点に、私は興味を惹かれています。

もしかすると、年配の人にとってのテレビは、一日の終わりに休息を得る方法というより日中の大部分を占めるものだからかもしれません。

この本を通して幾度もぶつかる「ある活動が休息となるかどうかは、その前に行った活動にどのくらい左右されるのだろうか？」という疑問にも関係してきます。

若者や中年にとってテレビがおおいに休息となるのは、仕事で忙しい一日を過ごした後だからなのでしょう。日中の多忙さが、のんびりと過ごす時間を堪能する許しになります。テレビを見る以上に適した過ごし方があるでしょうか。

一方で、多くの年配の人にはテレビを見るほかに余暇を過ごす術がなく、それは楽しい時間でも贅沢な行為でもないのでしょう。

■ テレビを見て過ごすのは「空っぽの時間」？

ここまで、テレビを見て休息することに罪悪感を抱くのではなく、その休息を楽しもう、少なくとも擁護しようと呼びかけてきました。しかし、心理学者がテレビの視聴を否定的に見がちであること、それも見るのをなかなかやめられない人に対してとりわけ厳しいことは、紛れもない事実です。

心理学者の懸念に、テレビはたくさんのことを人に代わってしすぎるという点があります。本を読んだりラジオを聴いたりするとき、人は自分の頭の中に絵を描いて想像の世界をつくる必要があります。その一方でテレビはこれをすべて請け負い、人が空想したり独自に映像をつくり上げたりするのを止めて、想像力を阻害するような印象を与えます。

後の章で触れますが、空想は休息におおいに役立つため、テレビがそれを妨げるとしたら非常に残念です。でも、不安になる必要はありません。この説をきちんと証明する証拠はないのです。

事実、テレビを見ながら意識を別世界に向けることは問題なくできます。考えてみれば、当然です。テレビを見ながらソーシャルメディアにアクセスしたり、会話したり、食べたり、アイロンをかけたりできるのならば、意識を少し移ろわせることとくらい簡単なはずです。

また、テレビと別の活動に注意を分散させることは、21世紀に始まった行為ではありません。１９８１年の研究調査で、テレビ視聴時間の67％で別の活動を同時に行うことがわかっています。当時は別の画面を同時に見ることはなかったでしょうが、食べたり家事をしたり、読書をしたりすることさえありました。

心理学者が主張する別の懸念は、テレビを見ることは、時間の経過に対する認識にマイナスの影響を与えかねないという点です。

テレビを見て過ごす時間はときに「空っぽの時間」と表現されます。記憶の観点から言うと、テレビを見ていたときの記憶はお粗末だというところが問題です。そのときは番組を楽しんではいても、ひときわ素晴らしい番組を除いてほとんど忘れてしまいます（ちなみに、私はドラマ『ブレイキング・バッド』に夢中になりました。何年も記憶に残るシーンがいくつもあったので「空っぽ」ではないと言いたいです）。

ここが大きな問題となるのは、人は頭に新しく増えた記憶の量を見て、どのくらいの時間が経ったかを判断するからです。そうなると、テレビを長時間見てそのほとんどが記憶に残らないとしたら、時間が経過するスピードは速くなり、人生が目の前を素通りしていくかのように感じることでしょう。これを望む人はいないはずです。

最大の懸念事項はおそらく、テレビの中毒性の高さゆえに見る人が夢中になりすぎる傾向があることでしょう。夜や週末をひたすらテレビだけを見て過ごすのは、もちろんよいとは言えません。テレビ視聴は受動的で座っているだけだからというのが特に大きな理由です。

とはいえ、テレビはほかの文化的娯楽と比べて厳しく批判されすぎているように思います。週末にずっと『戦争と平和』を読んでいた人を読書漬けだと批判しはしないでしょう。ワーグナーの『ニーベルングの指環』4部作すべてを15時間ぶっ通しで見た人を、オペラ漬けだと責めはしません。でも**テレビに対してはいまだに、ある種の文化的な見栄がはたらき、ぼんや**

りと過ごす薄っぺらい過ごし方だと馬鹿にする部分があるのは否めません。

これは、技術がひとつ進歩するたびに必ず発生する不安とおびえです。かつては小説が脳を腐らせると言い、次は映画で、その次がテレビ。現代ではゲームとソーシャルメディアがその対象です。

しかし、アメリカの学生を対象にした最新の研究調査は、何時間も延々とテレビ漬けになったからといって、受動的でぼーっとした状態にはならないと示しました。むしろ学生たちは登場人物に強く引き込まれ、画面の中の動きに夢中になりました。

研究チームはこうまとめています。「テレビを長時間見る人は、見ている最中にも見終えた後にも、認知的、感情的に活性化した状態となる。視聴中の一時的なものではない、登場人物との意義深い繋がりを形成する。単に楽しむだけでなく、内容について熟考し、続きをどうしても見たいという気持ちを抱く」。

この考察は小説を読む行為にも当てはまるのではないかと私は思います。読書はテレビとは違ってよし悪しの批判をめったに受けませんが。

こうした登場人物との強い繋がりは、テレビが持つあるメリットを裏付けているように思えます。**読書と同じく、テレビ番組も他人に共感する力を育み、他人の立場から物事を見る力を伸ばすのです。**

また別の研究は、人は孤独を感じるほどテレビに頼りがちになることを明らかにしました。

まさに研究者が否定的に捉えがちな部分です。でも私は、「長時間のテレビ視聴」を、「短期間での対処戦略」と言い換えるべきではないかと思うのです。

テレビは当然、孤独の長期的な対策にはなりません。でも孤独感とは一時的なものであることが多く、その場合には、テレビが辛い気持ちを忘れさせ、他人との気楽な時間を与えて、助けとなるのではないでしょうか。

■ テレビは人を憂うつで不健康、社交嫌いにする？

幸福、元気、友情をどの程度生み出すかの観点で活動を評価すると、テレビは下位に留まります。テレビ好きにとっては悲しい結果に思えますが、読書やだらだら過ごすという人気の休息手段もここでは同様に低い評価を受けました。

ここで思い出してほしいのは、この本で焦点を当てるのはどの活動が人に休息をもたらすかであり、人を元気にしたり友達を増やしたりする点ではないということです。

とはいえ、よい気分になれない活動に没頭するのはなんとも不快です。テレビは本当に気分を落ち込ませるのでしょうか？

見る内容による、というのがわかりきった答えです。暴力的なスリラーや実録犯罪ものばかり見ていても、気分が上がったり楽観的な見方をできるようになったりしそうにはありません。

最近の私のお気に入りの番組に『Hospital』という、医師と看護師が予算削減に直面しながらも患者を救うべく奮闘するさまを追った医療ドキュメンタリーシリーズがあります。私はこれをある意味楽しんで見てはいますが、患者が助からないときは泣かずにはいられません。空きベッドを探して病院スタッフが奔走せざるをえない場面では憤りも感じます。

また、ニュースを見ていて辛く悲しい気持ちになることも多々あります。ニュースを見て悲しくなる人があまりにも多いので、ある研究チームは、ニュース速報の合間に気持ちを落ち着かせるためのエクササイズを各自で行ってはどうかと提案したほどです。ニュースの後にちょっとしたエクササイズ番組を放送してもいいかもしれません。

チームは、ニュース番組に耐える目的でリラックス手法を勧めるのはさすがに行きすぎていたかもしれないと認めつつも、そうでもしないと負の余韻が残ることがあると述べました。いわば、辛いニュースによる胃もたれです。

しかし、私たちは見る番組を選べます。ですから私は、テレビを見る長さとその人の幸福度に相関性があるかどうかのほうに興味があります。

残念なことに、**テレビを長時間見る人は平均的に幸福度が低い傾向がある**と、多くの研究結果が示しています。ひとつ例を挙げると、ブラジルの成人6万人以上を対象とした大規模な研究調査で、一日5時間を超える視聴とうつになるリスクとのあいだに相関性があることがわかりました。

ただし、このような研究結果はテレビ自体に問題があることの証明とはなりません。失業中の人や病気で外出できない人は平均以上にテレビを見る傾向があるという点に、意外性はないはずです。テレビは、お金がかからず、絶え間なく変化し、身体的な運動をともなわずに何時間も気晴らしができる手段ですから。そのような人々の幸福度は、健康な人や仕事のある人と比べると、もともと低かったのです。

つまり、ここには調査結果にありがちな、相関関係vs因果関係の問題があるのです。満たされない生活とテレビ視聴のどちらが先にあるのかはわかりません。

一日中テレビを見ることで孤立し、いっそう気分が落ち込む可能性があるというのもわかります。ただ、もしかするとすでに気分が沈んでいて、それをどうにか改善しようとテレビを見ている可能性もあります。少し前に出てきた、寂しい人ほどテレビ漬けになるという話もそうです。テレビへの依存が習慣になると、別の問題が蓄積されていずれ表面化するかもしれません。それでも**孤独に対処する一時的な手段としては、絶対に非難されるべきではないのです。**

お年寄りを対象にした、興味深く希望の持てる研究を紹介しましょう。お年寄りは、テレビを孤独感への対処戦略として使うだけでなく、自分の心の健康状態を測る方法としても活用しているということです。普段よりもかなり長時間見ている自分に気づいたときは、心の健康に用心しなければと考えるそうです。

そして、被験者のなかにはテレビを効果的に利用して自分の気分を高める人もいました。

歳の未亡人はこう話しました。「テレビを見ると明るい気分になり、お腹もすきます。いろいろな感情も湧いてきますね。私はよくニュースを見るのですが、たくさんの感情が生まれて、自分の悩みごとを忘れてしまいます」。

少し前で紹介したブラジルの実験では、うつになるリスクが高いとみなせるグループがもうひとつあったことを、言い足しておかなければなりません。一日のテレビ視聴時間が1時間に満たない人たちです。

好奇心をそそられるデータですが、間違いなく要因はもっとほかにあるはずです。貧しくてテレビを買えないか、仕事や他人の世話に忙しすぎるためにゆっくりテレビを見る暇がないのかもしれません。その場合、気持ちが沈むのは視聴時間が短いせいというよりも、自由時間のなさと日常の極度のストレスのせいでしょう。

相関関係と因果関係のもやもやを晴らすために、アメリカの研究チームが5万人の看護師を10年以上追う研究調査を行いました。

テレビの前で長時間過ごす人には、数年後にうつの症状は現れたのでしょうか？　なんと多くの看護師に現れました。原因は？　テレビを長時間見ることは運動時間の減少を意味し、研究者はテレビ自体よりもそちらが最大の問題点だったという見解を示しました。

テレビを長時間見ると座りっぱなしになりやすいため身体によくない、というのはわかりきった話です。よって、テレビの見すぎと、肥満、心臓病、高血圧、糖尿病、腸疾患とのあいだに強い関連があるということに驚きはしません。

ここでも、調査の対象者はテレビ漬けとなる前からすでに不健康だった可能性があることにも、注意する必要があります。病気で外出できない状態なら、テレビが主な娯楽となるのも当然でしょう。

ただ、運動の有無に関係なく一日5時間以上テレビを見ると肺動脈塞栓症で死亡するリスクが2倍になるという、２０１６年の日本の研究結果も伝えておかねばなりません。

また、50歳を超える３５００人以上からデータをとった最新の研究調査からは、一日3～5時間テレビを見る人は、記憶力を使う作業のスコアが6年後に大幅に下がることがわかっています。

ここでも相変わらずわからないのは、被験者がもともと認識力低下の初期段階にあり、それが活発な活動よりもテレビ視聴に大きく時間を割くきっかけとなったのではないかという点です。ただこれは、テレビが認知症を促進する可能性があるかを判断できるほど長期的な研究ではありません。

臨床心理学の分野で著名なティル・ワイクス博士はこう主張しています。「恐怖におびえて、歩数計で歩数を測るようにテレビ視聴時間に神経質になる前に、もっと研究とデータが必要です」。

長時間のテレビ視聴に付随する別の問題は、夜更かししがちになることです。いまやインターネットのほうが影響は深刻だと指摘されていますが、テレビの長時間視聴も当然、睡眠時間に悪影響を与えうると複数の研究が示しています。

寝室にテレビを置いてはいけないとよく耳にします。しかし、インドとアメリカの複数の研究が、寝室にテレビがあるために就寝時間が遅くなったときには、翌朝に埋め合わせようと起床時間を遅らせる傾向があることも証明しています。

画面の明るさと番組の面白さは視聴者にとって刺激となるため、夜遅い時間に目が冴えると、どう考えても睡眠の助けにはなりません。でも深夜のテレビ視聴をどの程度悪く捉えるかは、その人の深夜や早朝時間への考え方によるのではないでしょうか。

私たちテレビ好きがこの研究結果から学べることがあります。カウチポテト族になったり、テレビに何時間も貼り付いたまま夕飯をかき込んだりするのは絶対に避けなければなりません。

それからベッドに入った後はテレビを見ないというのも、割と正しい考えでしょう。でも、最高に素晴らしいドラマや面白いコメディーをまるごと諦める必要はないのです。

ランニングマシンやローイングマシンでせっせと運動しながらお気に入りの番組を見るのもよさそうです。もう少しおとなしいやり方なら、私がときどきするように、立ってアイロンをかけながら見るのもいいと思います。

テレビを見ることが社会に与えるより広範な影響については、ハーバード大学の政治学者ロバート・パットナム教授が画期的な研究内容を記した著書『孤独なボウリング――米国コミュニティの崩壊と再生』（柏書房、２００６年）で、テレビがアメリカのソーシャル・キャピタル（社会関係資本）に与えてきた圧倒的な悪影響を非難しました。

簡単に言うと、テレビ視聴時間の増加により、ますます多くのアメリカ人が自宅で夜を過ごすようになったと指摘したのです。たとえば、ボウリングや、もっと本格的な活動で言えば市民運動や地域行政など、社会活動に積極的に関わることが減りました。

そしてテレビを支持する人が目を背けてはならない事実は、生活満足度の低さとテレビ視聴時間の多さに関連性があることです。大量のデータがこれを明らかにしています。

膨大な量の情報とエンタテインメントを届けてくれるテレビが家に1台あると、外に出てコミュニティの社会活動に参加するよりも家で過ごしたい誘惑に駆られやすくなる点を、認識しておかなくてはなりません。

ただ、80ヵ国以上から集めたテレビ視聴と生活満足度のデータを再分析したところ、健康、自由、失業などの要素と比べると、数時間のテレビ視聴が満足度に与える影響はずっと小さいことがわかっています。

■ 適正なバランスが休息の助けになる

テレビを休息の助けとすることについての結論が、そろそろ見えてきたかと思います。**適度な視聴が大切なのです。**

一日に2時間程度の視聴は見る人を間違いなくリラックスさせますが、5時間となるとやはり明らかに見すぎでしょう。とはいえ、境遇にもよります。自分にとって適切なタイミングで適切な量を取り入れること、そして外出の妨げにしないことです。

ほどよいテレビ視聴が問題解決に繋がるケースもあります。チクセントミハイは、昼過ぎに気分が落ち込んでいた人が2〜3時間テレビを見ると、夜眠る前には気分がかなりよくなっていることを実験で確認しました。

日常的なテレビ漬けがよくないのは明白です。しかし、テレビ視聴自体に問題があるのでまったく見ないに越したことはない、というまだに多くはびこる誤った考えに、屈してはなりません。

2005年のある研究は、テレビをいっさい見ない人も研究対象としました。いまどきなかなか出会えないため、研究者が広告を出して見つけ出す必要があったそうです。

研究チームの発見によれば、テレビを見ない人と適度に見る人（一日2時間程度）のあいだに、孤独感、内気さ、自尊心、憂うつ、生活満足度の観点での違いは見られませんでした。

よって、テレビの適度な視聴については何も心配する必要はないわけです。それどころか、見たいと思ってリモコンに手を伸ばしながら罪悪感を抱くことのないよう、よくよく気をつけなければいけません。

「カウチポテト族の罪悪感」と題されたドイツの研究によると、精神的に消耗したときほどテレビ視聴に対して罪悪感を抱きやすく、見た後もリフレッシュしたと感じづらいそうです。

つまり、**人に安らぎを与えることのできる手段が、到底真実とは言えない悪評のせいで逆にストレスを生んでいる**、という状況に私たちは陥っています。

夜にテレビを見て過ごすことを「怠惰な行為」ではなく、「忙しく働いた一日に対する当然の報酬」と言い換えてみると、気分が楽になるかもしれません。

たしかに、**テレビのほかにもっとすべきことはあるかもしれませんが、それは何をするときだって同じです**。一晩中見るのはいけませんが、テレビのメリットを享受して気分を明るくするためなら、自分に許可を出してあげるべきです。

人気の休息

第8位

空想にふける

THE ART OF REST

■ 空想を捕まえる

私は2016年1月11日、月曜日のことを特別によく覚えています。何か特別な日か、めずらしいことが起きた日と思いますか？　でも私の誕生日でも結婚記念日でもありませんし、祝日でもお祝いごとがある日でもありませんでした。心理学者が言う「フラッシュバルブ記憶」でよく覚えている日というわけでもありません。

フラッシュバルブ記憶とは、大きなニュースを耳にしたときに自分が何をしていたかの記憶です。たとえばダイアナ妃が亡くなったとき（私は寝ていました）、イギリスがブレグジット賛否の国民投票を行ったとき（私は寝ていました）、ドナルド・トランプが大統領に当選したとき（私は寝ていました）などの記憶を言います。

でも、その日はごく普通の日でした。普段なら完全に忘れてしまうような。

それなのに、何年かが過ぎたいまでも、あの日のことを細かく説明できます。

ボイラーが壊れ、冷水でシャワーを浴びなければならなかったこと。ありがたいことに、その時季にしては暖かい日だったこと。

当時の最新著書のオーディオ版をつくるために本を読み上げることになり、録音ブースに腰を下ろすと、オレンジジュースかアップルジュースのどちらがいいかを聞かれたこと。レコーディングスタジオから帰宅する途中に走り、壁とゴミのコンテナのあいだの細い隙間を無理やり通り抜けたこと。

その後に乗った電車の中で、自分のランニングバッグの赤い布地を埋め尽くす六角形の模様をじっと見たこと。

帰宅後に部屋の片付けをしながらデヴィッド・ボウイの「スターマン」を流して踊ったこと。

そして最後に、夫が帰宅して挨拶のキスをしてくれたこと。

そうです、割とありふれた出来事ばかりなのに、何らかの理由があって私はすべてのことを覚えています。でもこれが空想とどう関係するのでしょう？

ここから私の記憶力がもっと驚異的になります。その日にしたことや起こったことだけでなく、一つひとつの瞬間に頭に浮かんだ思考もあわせて覚えているのです。このような具合に。

「お湯が出ないんです」と伝えてもメーカーの担当者の口調はさほど同情的ではなく、がっかりした。壁とゴミのコンテナのあいだをすり抜けながら、服が汚れただろうかと考えた。どのみちトップスは洗うのだから関係ないか、と思い直した。

電車の中で、ランニングバッグのデザイナーは六角形の模様を最初に考えついたのだろうか、と考えた。もしくは正方形や八角形などをいろいろと試した挙げ句、最終会議で六角形が一番だという考えに落ち着いたのだろうか。

下りエスカレーターに乗りながら、すれ違う上りエスカレーターに乗る人々の多くに見覚えがある気がして驚いた。あちこちに行ってたくさんの人に会ったから、ほとんど誰を見ても誰かに似ているように思えるのかもしれない、と思った。

デヴィッド・ボウイ逝去に対する悲しみと、彼がこれから書いたであろう、もう聴くことのできない曲について思いを馳せた。私の歩数計は踊りも歩数に数えるのだろうかと考えた。生、死、取るに足りないことが一挙に押し寄せた。

夫の唇が私の唇に触れたまさにそのタイミングで電気が消えたので驚いた。夫はどうやって消したのだろう？

したことと考えたことの両方をなぜこれほど細かく覚えているのかというと、ひとつのことから次のことへとめまぐるしく移りながら次々と忘れていく思考を、あえて捕まえようとする実験に参加したからです。

心理学者ラッセル・ハールバートは、腰のベルトに付けられる小さな黒い箱を私に手渡しました。ハールバートは、Hubbub チームでその実験を行うために、ラスベガスのネバダ大学からはるばるロンドンへやって来たのです。

黒い箱からは薄いピンク色のコードが出ていて、その先にピンク色のイヤフォンが付いていました。一日を通して無作為のタイミングで、箱がピーッという甲高い音を数回ずつ発し、私の耳に届きます。その音が聞こえたら、音の直前に何を考え何を経験していたかをできる限り正確に書き留めるのが、私の任務でした。

翌日にハールバートは音1、音2などと名付けたそれぞれの瞬間のことを私に尋ねました。とても細かな質問で、無限に続くかのようでした。これでおしまいかと思うたびに、さらなる質問が飛んできました。

その思考を見ることができましたか？　その思考は言葉で浮かびましたか？　色はありましたか？　頭のどのあたりに浮かびましたか？　それとも目の前に見えましたか？　文字として見えましたか？　音として聞こえましたか？　誰の声で聞こえましたか？　その思考とともに

自分を外から見ていましたか？　それとも頭の中から外を見ていましたか？

どれもたいてい答えるのが難しく、ときどき答えをつくり上げたり脚色したりしたい気持ちに駆られました。でもそうしようとした瞬間、ハールバートに必ず見抜かれました。ハールバートは、被験者に質問をして一瞬一瞬を深く掘り下げるというこの研究を、40年間も続けています。

次第に私は、つまらなくてもありのままの思考を伝えられている自分に気がつきました。それがこの実験のあるべき姿でした。繰り返しの作業なので、だんだんうまくなったのでしょう。

この実験手法は記述的体験サンプリング（ＤＥＳ）と呼ばれ、ハールバートはこの研究を通して、人の思考が移ろうときには五つの要素が頻繁に確認できることを発見しました。視覚イメージ、内的発話、感情、感覚への認識、象徴化されていない思考で、「五つの頻発現象」と呼ばれています。

私は視覚イメージのスコアが高く、つまり思考を絵として見ている傾向が強いそうです。ハールバートが言うには、私の思考パターンはまるで万華鏡のようにくるくると移り変わり、ほかの人よりも複雑な形で思考が次から次へとやってくるそうです（ハールバートの言い方では、これが特によいというわけではなさそうでした）。

私の中には言葉をともなわない思考がいくらかあり、これをたくさん持つ人もいれば、ハールバートのようにいっさい持たない人もいるそうです。

ハールバートはなぜこの研究をするのでしょう？　本人はこのような表現はしないとは思いますが、ハールバートは「デイドリーム（空想）キャッチャー」なのだと考えると、私にはしっくりきます。徹底的な調査の末に、捕まえるのが最も難しい、あてのない思考をとらえます。明白な理由もなく頭の中に一瞬浮かび、すぐにいなくなってしまう思考。ときには空想もこれに含まれます。

こう考えてみましょう。ハールバートは大きな網を手にしているのです。その網で日々の単調な出来事、たとえばシャワーを浴びた、仕事から走って帰った、などの事実をまずとらえます。たやすく捕まえられますが、ハールバートはこれには興味がありません。背景に過ぎないからです。それから、大きな意義ある思考もとらえます。考えていると思いたいこと、たとえばそのとき取り組んでいる仕事や長いこと闘っている問題などです。

それから、普通なら網の目の隙間をすり抜けてしまうものも捕まえようとします。はかなく一瞬で過ぎ去るバラバラの思考。そこらじゅうに点在し、どこからともなく現れ、現れたかと思ったら消える移り気な思考です。誰の中にも常にある思考です。

ハールバートは驚異的なまでにじっくりと話を聞いてくれます。私は実験の終盤には自分の思考が残念なくらい陳腐なことにうんざりしていました（何かの深い考えも、私の頭の多くを占めていると思い込んでいた仕事に関する思考も、一度も現れませんでした）。でもハールバートは私の話す一言一句がとても面白い話であるかのように聞いていていました。

彼にとっては、他人の思考は宝のようなもの、人間の内側を覗く窓なのです。

このバラバラの思考自体は希少でも貴重でも面白くもありませんが、集めるのは困難です。ハールバートのような収集家はそこに面白みを感じるのでしょう。

ただし、汚染という一番の問題に立ち向かわなければなりません。思考の持ち主の口を介して伝えられるということから生じる汚染です。

私もそうしたように、被験者は自然な傾向として、思考をよりよく見せようとしたり実際よりも面白くしようとしたりします。

ハールバートはありのままの思考を不意打ちで捕まえるために、それも可能な限り純粋な自意識なしの状態で捕まえるために、無作為のタイミングで音を鳴らしました。

陳腐で結構、つまらなくて当然です。それが大半の思考の性質ですから。ハールバートの調査テーマのひとつは、人が何もしていないとされるとき、つまり休んでいるときに頭の中で何が起きているか、でした。

この実験の問題点はほかにもあります。

発達心理学者で作家、休息調査作成チームのメンバーでもあるチャールズ・ファニーハフ教授は、DESの熱心な支持者だと私は思っています。それでも彼はこう述べています。被験者が思考を改変して伝えかねないという懸念のほかにも、音を聞いた直後に思考を観察する方法では一瞬前まであった思考が音のせいで変わりかねない、という懸念もある。たしかに、このような自己観察には主観性の問題がつきものだとハールバートも認識しています。

私ははじめ、この実験方法に懐疑的でしたが、偶然同じ実験に参加した人に会って話すことがあり、自分とその人の思考パターンが完全に異なることがわかりました。ハールバートは思考について少なくともほかの方法ではとらえられない何かをとらえているのだと理解して、この実験に大きく惹きつけられました。

ハールバートは空想についてこれ以上追究するつもりはないと言いつつも、網で確実にとらえています。

■ 休息中のせわしなさ

もちろん、空想を研究する手段はＤＥＳのみではありません。主観的な観察に依存しない方法もあります。自分の思考を書き留めて質問攻めにあう代わりに、ベッドに横たわって耳栓を深く押し込み、頭のほうから脳スキャン装置に入っていく方法です。

装置の中では、真っ黒な背景に描かれた小さな白い十字線をじっと見つめます。この十字線があると、被験者はそれまでの思考をきれいに排除し、特に何も考えない状態をつくりやすくなります。もう何年にもわたり、何万もの神経科学研究で、脳をニュートラルな状態にリセットして次のタスクに備えさせるために、十字線が使われてきました。

スキャン装置内では、たいてい何らかのタスクが課されます。たとえば暗算や、さまざまな感情を喚起するための写真を見るなどです。そのタスクの最中に脳のどの部位が普段より活性化してどの部位が不活化するかを、スキャン結果が明らかにします。

このようにして、活動ごとに脳のどの部位やどの複数部位の組み合わせが使われているか、休んでいるときに脳に何が起きているかを知ることができるようになってきています。

ライプチヒのマックス・プランク認知神経科学研究所が行った試験の一環で、私も脳スキャン装置を体験したことがあります。

装置の中に入り磁石のスイッチが入ると、ドンドンと叩くような音が繰り返し鳴る時間があると、経験者から前もって教わりました。この音と閉塞感を不快に感じる人もいますが、私の場合、深刻な病気があるわけでもなく自らの意思でスキャンを受けたというのもあり、気持ちは大分楽でした。叩くような音はたしかにうるさかったものの、とてもリズミカルでまるで催眠術のようでした。リズムが緩やかに変化する場面がついぞ訪れない点を除けば、ミニマルミュージックの作曲家スティーブ・ライヒの作品にも似ていました。

結果的にはなかなか居心地がよくリラックスできる時間を過ごせました。平日の真っ昼間に横になって、特に何も考えずにいてくれればいいと言われるのは、なかなかうれしいひとときでした。

ただ、その時間がずっと続いたわけではありません。特に何も考えない時間が1回終わるたびに、そのあいだの思考の移ろいに関する質問が目の前のスクリーンに映し出されました。細かい質問攻めではないものの、装置内に横たわったまま答える必要がありました。

またしても深い思考は生まれず、私の頭に浮かんだことといえばどう見ても陳腐でつまらない考えばかりでした……。自分の思考の退屈ささえ気にならなければ、完全にくつろいだ気分で過ごせたのに、と思います。実を言うと、眠気に耐えるのが辛かったくらいです。

神経科学では、これが適切な安静状態と言われています。特に何かを考えているわけではないし、何かを意識したり何かに集中したりもしていませんでした。**ただとりとめなく空想する状態。これがきっと、くつろぎなのでしょう。**

この考えにはひとつ問題があります。

20年前、ミルウォーキーにあるウィスコンシン大学の博士課程の学生バラット・ビズワルは、脳スキャン装置からの信号の精度を上げる方法を研究していました。ある日、休息状態にあるとされる脳が、どうも休んでいるようには見えないことに気がつきました。通常時と変わらず活性化されているだけでなく、通常時以上に活発な動きも多く確認できたのです。

脳スキャン装置に入った被験者は、白い十字線を見つめて頭の中を空っぽにし、何も考えないようにと指示されました。そして私がそうだったように、多くの人がくつろぎと安らぎを感じました。何も考えないのは難しかったかもしれませんが、特に何かを考えているわけでもなく、ゆったりと空想をしていました。

観測の結果、被験者の脳活動はランダムどころか、規則的でした。脳の各部位がどの程度協調して動くかのパターンも観測できました。

同じ頃、また別の発見もありました。こちらはＰＥＴと呼ばれる別のタイプの脳スキャン装置を使った研究での話です。

研究者ゴードン・シュルマンは、人が何かに注意を払うときに活性化する脳のネットワークの発見を狙い、９つの研究の結果を統合しました。

しかし発見できたのは逆のもの、つまり人が何もしていないときに活性化するネットワークでした。被験者が休息を終えてタスクに集中しはじめたときに、脳が再び活性化するどころか、活動が弱まったケースさえ確認できました。

神経科学のコミュニティからは、この発見に早々に反論が出ました。長きにわたって神経科学者は、脳回路は必要のないときにはオフの状態になると信じてきました。なぜか？　不必要な精神機能にどうしてエネルギーを割く必要があるでしょうか。

なかには結果に間違いがあったに違いないと思う人もいて、いまやこの分野の第一人者であある神経科学者マーカス・レイクルが１９９８年に書いた論文は、論文審査者により却下されたほどです。データにミスがあったせいで脳が活動しているかのような結果が出たに違いない、と判断されたのです。

しかしいままでは、**脳は常に忙しく活動しているという考え方が主流です**。マックス・プランク研究所の神経科学者であるマーク・ラクナーは、私がライプチヒを訪れたときにずばりこう言い切りました。「脳が本当に休むのは死んだときだけですよ」。

休息調査ではたくさんの回答者が「思考が落ち着いた状態」や「精神的な静寂」「頭の中がまっさらな状態」、または考えごとを「黙らせ」たり「減速させ」たり「停止させ」たり頭を「空っぽに」したりして、「精神面でいっさいの努力をしない」ときや「考えるのをやめる」とき、「脳の電源を切った」ときに休息を見出したと答えました。でも、そんな状態は本当は存在しないのかもしれません。

学者は「空想する」という言葉の代わりに「マインド・ワンダリング（思考を移ろわせる）」を使う傾向があります。**移ろうことは（そして同じく「ワンダー」である、何かを不思議に思うことも）脳の自然な状態であり、安静状態ではありません**。いつも何かを探しに出かけ、好奇心旺盛で、新しい思考が生まれたと思ったら次の新しいアイデアを追いかけます。

なかなか疲れそうですか？　自分の思考をどこまでも追いかけ、後をついて回り、無理やり言うことをきかせようとしたなら疲れるでしょう。でも、デッキチェアにゆったりと座って、よちよち歩きの幼児や庭を走り回る子犬を眺めるように、思考を自由に解き放ってやれば、あなたが疲れることはないのです。

これこそが、「空想が安らぎをもたらす」ときのイメージだと私は思います。**思考は片時も止まりませんが、持ち主が支配するのを諦めて好きなところへ自由に移ろわせれば、ストレスも煩わしさも減るのです。**

私たちは幼い頃から「ぼーっと考えごとをしていないで集中しなさい」と言われてきました。近年のマインドフルネスの流行もこの一種であり、集中することを休息と感じる人もたしかにいます。それはそれでかまいません。

この本の主題は「自分に合う休息方法」を何かしら見つけることです。もしあなたが空想することで安らげるタイプなら、ぼーっとするときの自分を絶対に責めてはいけません。さきほど述べたように、空想してほぼ何もしていないときにも、あなたの脳は相変わらず意義あるタスクに取り組んでいて、それがよい効果を生むのですから。

ここまで見てきたとおり、「安静状態」という呼び名は実態とは少し離れています。だから一部の科学者は、頭の中がオフのときにも動きつづける脳の部位のほうを名前で呼びたがります。「デフォルト・モード・ネットワーク」です。

この表現のほうが、何の指示も受けていないときの脳は、特定の部位が活性化する初期状態に戻る、という事実をよりよく表しています。

この初期状態の仕組みを研究する学術論文は3000本以上も執筆されてきました。否定派ももちろんいました。たとえば、どんなに高額な脳スキャン装置を使ったとしても、被験者が本当に空想をしていると確信はできません。脳スキャン装置の中を眺めているだけかもしれませんし、聞こえてくる音に集中しているかもしれませんから。

それでも近年の神経科学者は、アイドリング中［車がエンジンをかけたまま停止するアイドリングのように、脳は活動しているが何も考えていない状態］の脳が驚くほど活発に動いているだけでなく、その動きは規則的であると認めています。

余談ですが、脳がこれほど活動的とわかれば、脳が機能するには全身の総エネルギーの５％程度の消費で足りると思われながらも実際には20％を消費している、という説にも納得です。マーカス・レイクルはこれを**脳の陰の活動**と呼んでいます。物理学者を翻弄するダークエネルギーのように、私たちにわかるのは陰の活動があるということのみで、解明はできません。

思考の移ろいに関してはほかにも大きな疑問があります。何かに集中しようとしても気が散ってしまい思考が移ろうときと、何も考えないでくださいと明確に指示されて思考が移ろうときに、何か違いは見られるのでしょうか？

そしてなぜ脳は常にそこまで活動しつづけるのでしょう？　その分のメリットがあるのでしょうか？　それとも単に脳の仕組みとしてそうなっているのでしょうか？

「安静状態」の脳とは、道ばたに停めた車に似ているのかもしれません。ギアをニュートラルに入れてアイドリングしていますが、モーターは動きつづけ、ドライバー（脳の持ち主）が飛び乗ればすぐに発進できる状態です。

もしくは、持ち主の意識なしに、脳のいろいろな部位が勝手に動いているだけの可能性もあります。または空想によって脳がその日の出来事を再現し、記憶の整理を助けている可能性もあります。睡眠中の夢がその役割を果たしていることは知られており、いまはそれが昼間にも生じると示す証拠が（少なくともラットで）見つかっています。

思考のまた別の特徴は、直近のタスクがない状態で放っておかれると、未来に焦点を当てがちなところです。未来のことを想像するときにはたらく脳内の三つの主要な部位が、どれもデフォルト・モード・ネットワークに含まれているのです。

そのため、人が空想をするとたいてい先のことを考え、まるで実現不可能な、人生を一変するような筋書きを思い描くことさえあるわけです。

ハーバード大学医科大学院のモシェ・バーは、これについて興味深い持論を展開しています。**人間が空想するのは未来の出来事の「記憶」を先につくっておくためであり、その出来事が現実化したらつくっておいた「記憶」を有効活用する**、という説です。とても理にかなっています。

飛行機に乗ったことがある人なら、墜落するケースを想像したことがあるでしょう。バーの考えが正しいならば、仮に飛行機事故が実際に起きたときに、行動面や感情面でも、空想の中で経験したことを活かせます。空想でシミュレーションしたとおりに酸素マスクを付け、床のライトをたどって一番近い扉へと進み、緊急脱出スライドを滑り降りることができるでしょう。

とりたてて何かを考えているわけではない、脳が安静状態にあるときにも、脳は活発に動いているのことがここまででわかりました。なんだかスパに少し似ています。お客さまに休日を堪能してもらうために、フロント係やマッサージ師、プール担当の技術者たちのチームが休まず動き回るイメージです。

なお、**空想に関する研究調査は、未来を想定して緊急事態の予行をするほかにも、空想はたくさんのメリットを持つ、**と示しています。

心理学者ジェローム・シンガーは1950年代にすでに空想の素晴らしさを称えていました。シンガーとほかの研究者たちが羅列した空想のメリットには、創造力、計画策定力、問題解決能力の向上や、退屈さの軽減、衝動的な決断を避ける忍耐強さの強化、社交能力の強化、好奇心の高まりなどが並びました。

空想は、自分自身、人間関係、世界と自分の関係について、理解を深める助けになります。自分の人生に物語と意味を与えようと、私たちは過去そして未来へと精神的なタイムトラベルを行います。ジェローム・シンガーと同僚研究者たちは2014年にこう論文に書きました。

空想にふけったせいで「卵を買い忘れて帰宅したとしても、昇給交渉しようか、退職しようか、それとも大学に入り直そうか、などの悩みに比べれば、ほんの少し困るだけ（つまり空想にリスクはほぼない）」。

■ 思考は暗いほうへと移ろうもの

空想は常にポジティブであるとは当然言えません。

空想がどう見てもよいものとは言えない状況は、ふたつあります。ひとつは、タスクに集中しなければならないのに思考が移ろいつづけて邪魔をするときです。

もうひとつは、思考が移ろうことで惨めさを感じるときです。２０００人以上の被験者のiPhoneにランダムなタイミングで通知を送り、そのときに何を感じて、何をしていたか、していたこととは別の何かを考えていたかを尋ねる実験がありました。

その結果、被験者の思考が移ろっている時間の47％で、被験者は不快さや悲しみを感じていました。さらに悪いことに、思考が移ろっている最中に通知を受けた人は、次の通知のときにも悲しみを感じている可能性が高いことがデータからわかったのです。

とはいえ、認知神経科学分野の第一人者ジョナサン・スモールウッドは、次のように結論づけています。空想に関して重要なのは状況（復習しようとしているのに集中力が途切れてばかり、など）だけではなく、空想の内容である。

自分の発言のせいで恥をかいたり罪悪感を覚えたりした経験を、頭の中でふと思い返してしまうことが時折あります。この先起こりうる悪いことを想像して不安になることもあります。

このような**過去の反すうと未来の心配の組み合わせが反復思考と呼ばれるもので、私たちの健康に密接に関わっています。**

アメリカのある研究では、わずか1週間強のあいだでしたが、研究者が毎日夕方に被験者に電話をかけて、どんな一日だったか、どんな感情を持ったかを詳しく聞き出しました。

10年後に同じ被験者を追ってわかったのは、心配しがちな性格の被験者はさらに心配性になっていたこと。ストレスの原因となる出来事について思いつめていた被験者は、その出来事が終わってからも数日間心配しつづけることが多く、10年後に健康上の問題を抱えている確率も高かったこと。悪い結果に終わった出来事に長くこだわると、ストレスを感じた瞬間の身体反応が再び呼び起こされ、結果として健康に長期的な害を及ぼすこと、でした。

ふさぎ込んだり自殺願望を抱いたりする人は過去を思い返すことが多く、ネガティブな思考が生まれやすいだけでなく、幸せな記憶を思い出すのがほかの人よりも苦手であることがわかっています。まるで、楽しい思考は二階の書類用キャビネットに厳重にしまい込まれ、常に手が届くキッチンテーブルの上に不快な思考が散乱しているような状態です。

とりとめのない考えごとの内容が主にネガティブなものなら、空想が悪循環を生むのも仕方ありません。しかし、興味深くて自分にとって有意義な内容を空想する場合、それも過去よりも未来についての内容ならば、空想で気分が沈むことはないでしょう。

このテーマを扱う学術論文の題名をいくつか見てみると、心理学界での思考の移ろいに対する賛否の論争をうかがい知れます。たとえば、「有意義な空想に捧げる歌」「さまよう思考は不幸せな思考」「移ろう思考がみな迷子ではない」「マインドフルネスとマインド・ワンダリングのほどよいバランスを求めて」。最後の論文は、学者ジョナサン・シューラーによる中庸を呼びかける内容です。

思考があなたの邪魔をして問題をもたらすならば、マインドフルネスのような技術を試して対処策を探すといいでしょう。

しかし、**よい内容の思考が浮かび、いま目の前の何かに集中しなくてもよい場合には、思考と一緒に漂って自分を休ませるのがいいでしょう。**

■ 思考を黙らせる

就寝前は、多くの人が頭の中を黙らせたいと願う時間でしょう。

調査によると、成人の40％が、頭の中をぐるぐると回る思考のせいで月に数回は眠りにつけない日があると回答しました。それ以上の頻度で悩まされている人もいます。

煩わしい思考や、やるべきことに対する不安から気をそらすのに役立つテクニックはいくつもあります。マインドフルネスを実践し、自分の呼吸に集中して思考が現れては消えるのをじっくりと観察する人もいます。ボディスキャンと呼ばれる、両足の先から頭のてっぺんに向かって、身体の部位一つひとつに順に意識を集中させ、力を入れたり緩めたりしていくエクササイズを行う人もいます。これについては「第5位　特に何もしない」の章で詳しく扱います。

私の場合は暗算をします。眠れないときは数字をひとつ選んで遊ぶのです。直近の数字は314。この数が何で割れるかを考えたり、この数に数字（最初は9、そしてカウントダウン）を足したり引いたり掛けたり割ったりして再び314になるまで計算したりします。

計算は、自分の思考よりも数字に集中できる程度に複雑で、頭を刺激して目が冴えない程度にシンプルであることが大切です。

視覚イメージを思い浮かべるのが得意な人には、オランダの臨床心理士アド・カークホフが試みたテクニックが合うかもしれません。

カークホフは自殺願望を持つ人の思考反すうを軽減する研究に取り組んだ後、心配性を軽くしたい人のために類似のテクニックを開発しました。たとえば、夜（もちろん昼でも）に頭の中で渦巻く思考を止めるテクニックです。

その思考を箱にしまって鍵を掛け、ベッドの下に置くところをイメージします。頭の中にその思考がまた現れたら、都度追い払います。ベッドの下の鍵付きの箱にしっかりと収めたので、出てこられないはずです。もしベッドの下では近すぎて落ち着かないなら、色鮮やかな雲（好きな色を選びましょう、私の雲は紫です）の中で思考が渦を巻く様子をイメージしてもいいでしょう。

その後、思考は風に乗ってどこかへ流されていくか、『オズの魔法使い』のような竜巻に吹っ飛ばされてなくなります。

こうしたテクニックを試す価値はあります。人によって合う合わないはありますが、試験では高い割合で効果を発揮しました。

アメリカのベイラー大学の睡眠の神経科学と認知研究室の室長マイケル・スカリンも、独自に開発したテクニックの効果を実験で確認しました。

就寝前は、ToDoリストを作成するにはどう考えても不向きだと思えるでしょう。翌日にすべきことすべてを思い出して、わざわざ不安な気持ちを搔き立てる必要があるでしょうか。こんなの全部できるわけがないと不安になり、確実に眠れなくなりそうに思えます。

しかしスカリンの実験では、就寝前に被験者にToDoリストを書かせたときと、その日達成したことをまとめる満足リストを書かせたときとでは、ToDoリストを指示された人のほうが平均9分早く眠りについたのです。

これは、**やるべきことを書き出すことで頭の中の負担が軽減されるからだと推測されています。**

やるべきことが無事にリストに記録されると、翌朝そのリストを見てタスクを思い出し、すぐに取りかかれるため、頭の中にとどめておく努力をする必要がなくなります。頭の中を好き勝手に飛び回られるよりも書き出しておいたほうが多少管理しやすくなるようにも思えます。量を見える化するのです。

でも、長いリストを抱える多忙な人が試したら、やっぱり眠れなくなりそう、と思いますか？

さきほどの実験によると、10個以上のタスクを書き出した人にも変化は見られ、平均15分早く眠りにつきました。

コツは、**たとえリストが長くなっても、「家事」や「仕事」のように単語ではなくできるだけ具体的にタスクを書くことです。**

リストをつくる手間を省きたいから頭の中でやろう、と考えているなら、それではあまり意味がないと理解しておきましょう。

やるべきことを考えすぎて心の平安を乱されたくないなら、紙に書き出して心理的な負荷を取り払うべきです。頭の中にリストを持っていては逆効果とさえ言えます。タスクを忘れないように何度も思い出して、脳の一番目立つところに置いておかなくてはならないのですから。

■ マインド・ワンダリングを称えたい

これまでに紹介した空想テクニックは、思考が暗い場所へ迷い込むのを阻止し、良質な睡眠という究極の休息のために心を整えるのに有効です。きちんと意味があり、役に立つことも多いでしょう。

でも厳密に言えば、空想や思考の移ろいにこだわりすぎてもいけないのです。一生空想しているわけにはいきません。それでも、ほかの休息方法と同じ程度に、もう少し思考の移ろいを自分に許してあげてもいいように思います。

この分野の研究はまだ比較的浅く、なぜ人は空想するのかを、科学では部分的にしか説明できません。なぜ空想が多くの人にとってよい休息手段となるのかは、余計に説明が困難です。

ここまで見てきたとおり、**自分が休んでいると思っているときにも脳は停止することはなく、思考が移ろっているときに一番活性化するという一面もあります。**

思考の移ろいを「怠け」と感じて罪悪感を抱いてしまう人は、神経科学的な見方を取り入れてみてはどうでしょう。

空想中は活動を停止しているのではなく、違う形での精神活動に切り替えているのです。したがって、肘掛け椅子に腰掛ける行為よりは、散歩に行く行為に近いと言えます。のどかな田舎の散歩と同じで、空想にも明確な目的地があるわけではなく、行為そのものが目的です。

大切なのは行き先ではなく、旅路です。緩い無計画さこそがよいマインド・ワンダリングの一要素ですから、ぶらぶらと歩きながら目に入るものを楽しみましょう。

空想する能力は、タスクに忍耐強く取り組む能力と同じくらい重要です。学術研究の面ではまだ新しい領域ですが、空想についての理解を深め、心配したり思い悩んだりしないもっと有効なマインド・ワンダリングの方法を見つけられたら、いつか空想の処方箋をつくれる日が来るかもしれません。

とりあえずいまのところは、空想とは私たちが好んですることであり、罪悪感を覚えることでもあり、よく理解できずうまくできない行為でもあるようです。

それなのに、人は空想をして安らぎます。問題は、空想が現代生活にひそむ数多くの偏見とぶつかることです。

移ろうのは思考の自然な状態であり、場所を選ばずできる行為ですが、まず何よりも**自分の思考にその許可を与え、ゆったりと空想できる聖域を、各自が探す必要がありそうです**。

次はそのような場所に話題を移します。風呂です。

人気の休息

第7位 入浴

THE ART OF REST

80歳のアモウ・ハジは60年以上も風呂に入っていません。身体を洗ってすらいません。風呂に入ったらどうかとあえて忠告する人がいると、アモウは怒ります。「清潔は万病のもと」と信じているからです。

アモウの顔とあごひげは、黄土色の土で厚く覆われています。アモウが暮らすイラン南部の不毛の大地にあまりによく溶け込むので、じっと座っているとまるで岩が置いてあるかのようです。ヤマアラシの腐った死体を食べ、動物のふんをパイプに入れて吸うのを好んでいます。髪が伸びたら、いらない部分は火で焼き切ります。皆さんの予想に違わず、アモウは独りで暮らしています。でも２０１４年にオンライン記事に載ったとき、恋人を探していると話しました。

あれから恋人を見つけたかどうかはわかりません。でも、もしいまアモウが最愛のパートナーと暮らしているなら、二人はきっと現代一変わり者のカップルでしょう。

休息調査の結果を見ると、ほとんどの人が入浴をこよなく愛しています。身体を清潔にする手段という機能面のみならず、くつろぎとリラックスの最高の形として。

風呂に湯を張って湯気で満ちた浴室に入ると、この後に来るものを予想して、まず甘美な身震いが訪れます。それから手か足を湯に浸して温度を確かめたら、ゆっくりと身体を沈め、全身で快楽を味わいます。首から上が水面から出た状態になるまで浴槽に身体を滑り込ませたら、次に……。

いいえ、あとはただ横たわって過ごします。

何もしないで過ごすことを除けば（「第5位　特に何もしない」でこれが意外に難しいことがわかります）、入浴は最も純粋な休息の形ではないでしょうか。休息が意味するものを尋ねるアンケートの回答に使われた単語を思い出してみましょう。左の入浴するときの感覚に使われる単語とどれほど一致するかに驚きます。

自由　充足感　温かい　元気の回復　横になる　静寂　暗い

空想できる　甘美　かっこいい　浄化　必要　ぼーっとする
素晴らしい　安全　穏やか　癒やし　貴重　プライベート　切望
何も考えない　邪魔が入らない　気持ちが高揚する

入浴で安らぐことができる理由のひとつが、バスルームにいると、そして湯船に入ってしまえば、家の中の細々した雑務すべてから切り離されることです。あの封書を郵送しなくては、でもいまじゃない。服の山にアイロンをかけなければ、でも後にしよう。

おそらく、携帯電話やパソコンを持って行かない、家の中で唯一の場所がバスルームでしょう。メールや電話に対応することもできません。ラジオを聴いたり読書したりはできますが、しなくたって一向にかまいません。

なぜ何もしないことが難しいかというと、罪悪感を抱いてしまうからです。時間を無駄にしている、怠けている、と思うからです。立ち上がって何かをしなければならない感覚に襲われずに長時間椅子に座っていられないのは、これが理由です。

でも入浴なら、罪悪感を完全に回避できます。そう、湯気の立つ湯船に横たわっているだけでも、同時に身体を清潔にしているのですから。どのみち何らかの方法で清潔にしなければなりません。だから入浴は時間の無駄でも、単なる道楽でもないのです。ある意味やらなくてはならないことです。

もちろん、この考え方にも穴はあります。近年は、素早く衛生的に身体を洗うにはシャワーのほうが主流で、入浴は楽しむものという見方が強まっています。自宅でオイルや入浴剤を入れた湯に浸かったり、浴槽の周りにキャンドルを並べたりする人も増えています。スパにあるような浴槽やジェットバス機能を据えつける人さえもいます。

正確には、人は、長時間熱い湯に浸かる必要があるわけではなく、ただ一日の終わりに素敵な安らぎのひとときを湯船で過ごしたいのでしょう。

■ 1万8000人で入浴していた⁉

アモウ・ハジの衛生観念は、先史時代では異常ではありませんでした。むしろ、それが普通でした。古代の人間の中にいれば、アモウも目立たなかったでしょう。

しかし入浴は、世界各地の文明化とともに人間らしい生活の象徴となりました。はじめは公共の場で行うのが主流でした。そして入浴に対する考え方は、何世紀にもわたって変化を続けてきました。基本的には身体衛生の維持が目的でしたが、時代や文化によっては、入浴は健康のために重要な行為、宗教的な儀式、社交をともなう娯楽、または肉体的、ときに性的な娯楽ともみなされてきました。

紀元前8世紀前後、ホメロスの時代の古代ギリシャ人は、身体を清潔にする手段として頻繁に公衆浴場を利用しました。しかし300年後の紀元前460年以降、ヒポクラテスの時代には、健康効果を求めて入浴するほうが主流となりました。

ローマ帝国が建国される頃には、公衆浴場はとても大規模になっていました。ローマのカラカラ浴場は、およそ1万8000人が一度に入れる規模だったと言われています。あくまでも一日の総合利用者数が1万8000人であり、実際の許容人数は6000人程度だったと主張する歴史学者もいます。

いずれにしても、ローマ帝国時代の入浴は、いまの私たちが行う静かでプライベートなものではなく、大規模なスポーツイベントに近かったに違いありません。浴場への情熱がピークを迎えた頃には、ローマ在住者一人あたりが一日に使う水の量は、1400リットルと驚異的だったと言われています。ローマ人が水道建築技術に熟達したのもうなずけます。

ローマ帝国時代初期には、公衆浴場は主に戦いで怪我や疲弊した戦士が回復するための場でした。やがて一般大衆も訪れて休息、リラックスする場にもなり、衛生的、生理学的な利点からとても重宝されました。何千人もの裸の付き合いの友人たちとの入浴は、言うまでもなく、よい社交の機会にもなりました。

しかし入浴が娯楽寄りの活動になるにしたがって浴場は性行為の場にもなり、ローマ帝国滅亡後は、民衆の節度の欠如を案じたキリスト教会が公衆浴場での入浴を禁止しました。教会に改装された公衆浴場もありました。

それでも入浴文化は、「暗黒時代」と呼ばれる中世ヨーロッパでも縮小した規模で継承されました。

当時の人々は歴史書に書かれているほど不潔で臭くはなかったかもしれません。たとえば、西欧の修道会が個人の衛生を真剣に考えていたことがわかる証拠が残っています。

ほかの宗教の信者も、長きにわたって浄化の儀式の一環として泉や海、ヒンズー教の場合はガンジス川で、沐浴を行ってきました。

「清潔さは信仰深さに次ぐ美徳である」とは、18世紀後半にメソジスト派の司祭ジョン・ウェスレーが言った言葉とされています。しかしこの考え方自体はもっと古くから存在し、主要な宗教のあいだでは少なからず認識されてきたものです。

16世紀頃までには、ヨーロッパでは入浴が健康によい、流行りの人気行為として再び認識されるようになりました。フランスの随筆家モンテーニュは、彼を語るうえで重要な1580～81年の旅行のかなりの時間を、持病の腎臓結石の治療目的でドイツ、スイス、オーストリア、イタリアの鉱泉巡りに費やしました。

「水に含まれる鉱物が痛みを緩和し、ときに解消することさえある」という考えには限度があると、当時もいまも言われています。それでも17～19世紀、そして20世紀初頭にも、上流・中流階級のヨーロッパ周遊や観光には、必ずスパや浴場が目的地に含まれました。ジェーン・

オースティンからレフ・トルストイ、トーマス・マンからヘンリー・ジェイムズに至るまでの有名作家の小説に、裕福な主人公が入浴する場面がお約束のように描かれたのを見れば一目瞭然です。

19世紀までには、ヨーロッパとアメリカの各地で広大で華やかなスパリゾートが無数に建設されました。贅沢さと行き届いたサービスを最重要視し、劇場やダンスホール、カジノまで備えた施設もありました。

厳格かつ正式な手法での治療を目的とした施設もあり、こちらでは安らぎからはほど遠い一面も見られました。

有名な話ですが、チャールズ・ダーウィンは吐き気、めまい、慢性頭痛の治療を求めて、イングランドの温泉街マルバーンに住む医者を訪ねています。冷たく湿らせた布で身体を強くこする、風呂に入って汗をかいては濡れたシーツに凍えながらくるまることを繰り返す、などの治療に数週間耐えたそうです。

貧しい人々にとっては、しっかりと風呂に浸かりに行くことができる唯一の場所が公衆浴場でした。でも豪華で安らぐ時間とは到底言えませんでした。20世紀になってやっと、先進国に限り、ほとんどの家庭で浴槽を持つことが現実的になりました。

いまではごく当たり前に一家にひとつ浴槽を持ち、大部分の人が毎日ではないにしても週に数回は湯に浸かる時代ですが、こうなったのはつい最近のことなのです。

１９３８年、イーストロンドンのショーディッチでは、浴槽付きの家は7軒に1軒でした。近年このエリアに起きている現象から「ショーディッチフィケーション（ショーディッチ化）」という言葉が生まれています。

これは、大都市中心部の貧困層の多いエリアが急速に高級化される現象、つまり労働者階級の多い地区の安い大衆食堂が、アボカドペーストをのせた自家製酵母トーストを売る小洒落たカフェに取って代わられ、小さな商店が３００ポンドもするカシミアセーターを売る高級ブティックに取って代わられる現象を言います。

いまこの地区で一軒家や広めのアパート１部屋を購入したければ、最低でも１００万ポンドすると思っておく必要があります。そうすればきれいなバスルームも確実に付いてきます。なお、浴槽があるかは保証できません。

最近では主にスペースの問題から、場所によっては周辺環境面の理由から、そして好みの変化もあって、多くの新築物件にはウォークインシャワーか、立ってシャワーを浴びるだけのウエットルームしか付いていません。あと数十年もすれば、都心で自宅に浴槽を持つのが一般的ではなかった時代に戻るでしょう。

こうした移り変わりこそが、なぜこの狭いショーディッチに高級スパが7軒もあるのかを説明しているように思えます。加えて、ショーディッチのような地区には、公衆浴場が再び姿を現しています。衛生を確保する手段としての入浴と、リラックスする手段としての入浴とのあいだを行ったり来たりする様子を、私たちは再び目の当たりにしています。

■ シンプルな愉しみが若者に愛される

今朝届いたばかりの日曜版の新聞を開いて旅行特集の紙面を探します。フィットネスクラブ、温泉、ハイドロセラピーを行うプール複合施設、鉱泉療法を取り上げた特集です。

お金と時間に余裕さえあれば、つるつるした石灰岩の丸天井の下に横たわってデトックスする時間を手に入れられます。ふわふわの泡で身体を洗い流す贅沢。海藻由来のオーガニック製品をたっぷりと使いましょう。こぢんまりとして上品な屋外の温泉（写真では泥の池にも見えますが）に浸かるのもよさそうです。手摘みのハーブを使用したスパサービスもありますし、塩セラピー（塩分を微量に含む空気を吸う）の効果を試すのもいいですね。ひととおりやり終えて休みたいと思ったら、仰向けに寝転んで、色とりどりのガラス塗りの煉瓦を眺めたり、伝統的なトルコ式浴場からインスピレーションを得た天井画を眺めたりすることもできます。

あふれんばかりの入浴愛を抱える私ですが、スパと呼ばれそうな場所には実はあまり行ったことがありません。

でも少ない経験のなかでも、「医者が言うんだから間違いない」という類いの少し厳しくも温かなお節介と、リラクゼーションとのあいだを行ったり来たりする時間には魅了されました。スパではたいていルールが多く、私はよくうっかり破ってしまいます。たとえば下着をどこまで脱いでどこまで身につけておくか。周りは誰も間違えていないのに（明らかに常連客）、私は判断を誤りがちのようで、オーストリアのスパではセラピストにつっけんどんに「パンツ脱いで！　早く！」と怒られました。

入浴なんて自分の汚れの中でだらだらしているだけだ、とみなす人もいるようですが、私にとってはこれ以上の楽しみはありません。

少し驚いたのは、休息調査によると、若者が特に入浴を気に入っていたことです。**入浴で安らぎを感じると回答した18〜30歳は、同じ回答をした61歳以上のほぼ2倍の人数でした。**理由はわかりませんが、もしかすると高圧シャワーで育った若い人のほうが、入浴を贅沢な愉しみだと感じるのでしょうか。

答えがどうであれ、若い人たちと私は入浴のよさに気づいています。単に心地よくて安らげるだけでなく、自分にとっていい効果があるのです。それを裏付ける証拠もあります。

■ 自宅での入浴が良質な睡眠に繋がる

シルヴィア・プラスの小説『ベル・ジャー』（青柳祐美子訳、河出書房新社、2004年）には、「熱いお風呂が解決できないものは、きっとたくさんあるのかもしれないけれど、私は一番、癒される」という一節があります。

アメリカのこの偉大な詩人が入浴の科学的、心理学的な証拠を学んでいたかどうかはわかりませんが、さきほども言ったとおり、プラスの言葉を支持するデータはあるのです。

はじめに言っておかなくてはならないのは、入浴の効果を調べる主な研究は、自宅の泡風呂よりも温泉のほうを扱いがちです。でも自宅での入浴にもよい効果はあると示す研究結果もちゃんとあります。

まずは、研究調査15本をまとめた有名な批評から紹介しましょう。**温泉はストレスホルモンであるコルチゾールの値を一時的に下げることがあると結論づけられています。**この研究チームは、水に含まれた特別な鉱物がよい効果を発揮すると発表しました。加えて、**忙しい日々のなかでも風呂に入る時間をどうにか捻出する習慣が、ストレス低減に一役買っていると**も見ています。

ある研究は、「第5位　特に何もしない」の章で登場する格別のリラックス法よりも、温泉のほうが効果的だと示しました。

格別のリラックス法とは、ボディスキャンという身体と心をリラックスさせるテクニックです。まずは自分の頭かつま先に意識を集中し、上から下へ、または下から上へと筋肉のひとつひとつに順に力を入れたり緩めたりしながら、全身をくまなくスキャンします。これに頼る人は多くいますが、どうやら温泉はもっと素晴らしいようです。

リトアニアの船乗りを対象に行った興味深い実験があります。地下1キロメートルを超える深さにあるデボン紀前期（およそ4億年前）の岩から、掘削孔を通って出てくる塩分の高い温泉水に、船乗りたちが浸かります。週に5回、15分間ずつ浸かるのを2週間続けました。

音楽療法を続けたグループや特に何の活動も行わなかったグループと比較すると、入浴を続けた船乗りたちは血圧が下がり、痛みが減り、関節の可動性が向上し、気分が明るくなり、幸福度が高まったという結果を残したのです。

温泉についての優れた研究結果シリーズの締めくくりに、私が参加したいと感じた研究を紹介します。

舞台はドイツのフライブルク郊外の温泉でした。参加者は40℃の温水プールに30分浸かり、その後温かいブランケットにくるまれて白湯のボトルを手に20分間休みます。特に長期的な効果がないとしても、これだけですでに素敵な実験です。

8週間後、この温熱療法を行ったグループは、運動クラスを週2回受講したグループと比べて、気分の落ち込みのレベルが大きく緩和されたことが確認されました。

定期的な運動が重要でないと言いたいわけではありません。でも風呂に横たわっていることで、エアロビクスのクラスに出たり公園を走ったりするのと同じくらいメンタルヘルスへのよい効果を得られるというのは、うれしい限りです。

もちろん、ほとんどの人は天然温泉の近くに住んでいるわけではないので、入浴がもたらす心理的、身体的な効果を得たければ、自宅の蛇口から出てくる湯で間に合わせなければなりません。主に日本発の複数の研究で、就寝前の入浴がもたらすリラックス効果と睡眠への影響に注目が集まっています。

就寝前の入浴が身体を温めてくつろいだ気持ちにさせるからに違いない、と決めてかかるなら、それは間違いです。実は**温かい風呂は身体の深部体温を下げるのに役立ち、これが入眠を助けるのです。**

スムーズに眠りにつくには、活動時よりも体温が約1℃下がる必要があります。寝室を暖めすぎてはいけないのも、部屋が暑すぎるよりは寒すぎるほうが眠りにつきやすいのも、この理由からです。睡眠学者でベストセラー本の著者でもあるマシュー・ウォーカーは、涼しい部屋の「適切な温度の下降は、脳と身体を睡眠へ誘導する」と述べています。

夜に子どもを毛布でぴったりとくるんでやっても後で見に行くとたいてい手足が毛布から飛び出しているわけが、これでわかったでしょう。子どもとしては、よりよく眠るために自分の身体を冷やしているのです。手と足には放熱に特化した血管が豊富にあるため、身体が熱すぎると血液が末端に送られ、皮膚近くにある網状の血管から熱が放射されます。

では、なぜ入浴がこのはたらきを助けるのでしょう？　就寝前の入浴が体温を下げるという不思議なメカニズムを説明しましょう。

入浴するとまず、人間の深部体温は急速に上がり、熱くなった身体を冷やそうとして血液が末端へと送られます。つまり、**就寝の準備として体温がゆっくりと自然に下がる現象を、入浴が促進する**のです。体温の急上昇が、体温の急降下を誘発するというわけです。納得でしょうか？

しかしこの効果には条件があります。おそらくもうおわかりでしょう。**入浴で体温を下げて睡眠を促進するには、就寝前に入浴しなければなりません。具体的には、ベッドに入る1〜2時間前の入浴が理想的だとわかっています**。そうすれば、暖かい掛け布団をかぶる頃には体温がすでに下がりはじめているはずです。

それから現実的とは言えませんが、昼過ぎの入浴も実は効果が高いそうです。

ある実験では、昼過ぎに90分間入浴した学生は入浴しなかった学生と比べて、就寝時により強い眠気を感じました。さらに徐波睡眠と深い睡眠（寝返りを打ってばかりの睡眠とは異なり、いずれも質のよい睡眠の特徴）がより多く見られました。

この結果をいったいどう役立てろというのか、私にはよくわかりません。午後に1時間職場を抜けて風呂に入りに行っていいと許可する上司がどれだけいるのでしょう。でも、週末に試してみる価値はあるかもしれません。平日に良質な睡眠をとりたい場合は、普段よりも少し早い時間に入浴を済ませると確実です。


深部体温の話は、不眠症患者にとってはまさに重大です。身体の表面から放熱して体温調節するシステムに問題が生じることが、不眠症の原因となる可能性があると学者たちは考えています。

不眠に悩む人々は、夜中に毛布の外に手足を突き出しても深部体温が十分に下がりません。この理由を説明するには、ちょっと不思議なある人体メカニズムについて、まず考える必要があります。次の段落を読み終えたら、ぜひ自宅で実験してみてください。

まず、左右どちらかの手を数分間お湯に浸します。当然、その手は温かくなってきます。ではもう片方の手はどうでしょう？　お湯に浸していませんが、温かくなっています。自覚しづらいかもしれませんが、測定するとわかります。これが、身体が体温調節を行う仕組みです。

身体が温まるのは、温まった血液が身体中を巡るからだけではありません。熱を放射して体温を下げるために、放熱に特化した手足の血管が広がるからでもあるのです。そのため、もう片方の手も一時的に温まるのです。

では、これが不眠症にどう関係してくるのでしょう？　不眠症患者にはこの不思議なメカニズムが見られないことが、オーストラリアで実施された小規模な実験でわかったのです。

不眠症でない人が左手をお湯につけると、右手の温度は平均4℃上昇しました。しかし慢性睡眠不足の人に同様の実験を行うと、平均でわずか0・9％しか上昇しませんでした。放熱する能力が損なわれているせいで、夜間に眠りづらいことが判明したのです。

よく眠りたいけれど浴槽に湯を張るのを待てない、もしくは浴槽がない場合は、熱い足湯に入ったり、加熱タイプの就寝用靴下を履いたりしてみてください。穀物が詰まった足裏部分を取り外して電子レンジで温めることができる、特別な靴下のことです。

このような対策の効きめには、年齢が関係することがあると実験が示しています。加熱タイプの靴下は若者が早く寝付くのに有効で、足浴は中年以上に有効でした。

台湾と日本では複数の研究で、中年以上を悩ませる不眠の症状を足浴で改善しようと試みており、実際に効果も出ています。足浴は翌朝の早起きを妨げることもなく、心身をリラックスさせ、ベッドに入る時間に合わせて入眠に適した体温に調節しやすくしてくれるようです。

足浴もできないほど急いで眠らないといけないときは、簡単にシャワーを浴びるのはどうでしょう。あまりに暑い日でもない限り、普段は起床後にシャワーを浴びるだけ、という習慣の人は一定数います。就寝前に熱いシャワーを短時間浴びると入眠の助けになると示す証拠は、わずかですが存在します。たとえば、若いサッカー選手たちが大事な試合や大会の前夜によく眠れないと言います。多くのアスリートに共通の悩みでしょう。これに着目した実験では、サッカー選手たちが就寝前に熱いシャワーを浴びると、普段よりも平均7分早く眠りに落ちることができました。

■ 熱すぎる湯、冷水の話

入浴のメリットの証明がまだ不十分ならば、『Temperature（温度）』というストレートなタイトルの学会誌で発表された次の研究はどうでしょう。男性が1時間入浴すると、ウォーキングを30分行ったときと同程度のカロリーを消費したと研究者が報告したのです。

これは少し話がうますぎるようにも聞こえます。お湯を常に40℃に保つのがカギだそうで、自宅なら常に湯を足しつづけなければなりません。でも、効果はてきめんでした。被験者男性が身につけたグルコースモニター（体内のグルコースを測定する機器）によると、入浴中にはエネルギー消費量が80％高まりました。

では、運動はやめて湯船に横たわっていればいいじゃないかと思うでしょうか？　悲しいかな、そうはいかないのです。同じ被験者男性がエクササイズバイクを漕ぐと、はるかに多くのカロリーを消費しました。

というわけで、運動の観点から言うと、入浴はあくまで代謝障害があって運動できない人の救済策にすぎないということです。だとしても、やはり入浴の素晴らしい効果には目を見張るものがあります。

入浴は心臓にもよい効果をもたらす可能性があるという意見もあります。最近のある研究では、週に何度入浴したかを日本の高齢者に尋ね、0回から驚異の24回まで幅広い回答が得られました（風呂好きな古代ローマ人に引けをとりません）。重要なのは、**週に5回以上入浴する（私はこの頻度で入っています）人の心臓と循環器の健康状態が、そうでない人よりもよかった点です**。

しかし、熱すぎる湯に長時間浸かりすぎないよう注意は必要です。オーストリアの哲学者ルートヴィヒ・ウィトゲンシュタインはやけどするほど熱い湯に浸かるのが好きで、何度まで耐えられるかを自慢げに話していたそうです。自慢に値するか疑問で、どうみても身体によいとは思えません。

入浴にこだわりを持つ都市、東京にある監察医務院の情報では、２００９〜11年のわずか２年間に、なんと３２８９人が入浴関連の突然死で亡くなったそうです。その大半は60歳を超えていて、亡くなった時期は冬でした。半数近くのケースでは入浴によって心臓に異常が現れ、全体の４分の１は酔っていたそうです。気がかりなことに、残りは原因が明らかとなっていません。多くに共通するのは、とにかく熱すぎる湯に浸かっていたことです。

この衝撃的なデータのほかにも、韓国で2006年に行われたケーススタディでは、糖尿病を患っていた男性が3時間入浴した後、熱中症による複数の臓器の機能不全が確認されました。4年後に中国で起きた同様の事例としては、病人一人が温泉に入った後に亡くなっています。1985年にはアラスカで不潔な浴槽を使用した人たちが次々と毛包炎にかかりました。

ここまで聞くと、入浴は安らぎをもたらすどころではないし、理想的な休息の形ではないではないか、と思う方もいるでしょう。でも、全体から見れば入浴が原因で死亡するケースは稀です。


温まりすぎが心配なら、**冷水風呂**はいかがでしょう？　矛盾していますか？　冷水での水泳が近年流行しているのにともない、凍りそうなほど冷たい水に浸るメリットをたくさんの人が語っています。頭がすっきりする、身体が元気になる、士気が高まる、などです。

スコットランドのフォース湾に面した小さな町に住む私の旧友は、元日に海に入るから一緒に行かないかと毎年私を誘ってくれます。その地域のならわしだそうです。

友人はとても「刺激的で興奮する」と言いますが、私が想像するに「めちゃくちゃきつい」という意味でしょう。「やめとくわ」と私は返しています。私には大晦日の飲み過ぎから回復するためのならわしがちゃんとあります。長い朝寝坊です。

熱い風呂と冷水風呂のどちらが健康にいいかの論争は長く続けられてきました。研究のほとんどは、試合後の筋肉修復の最善策を求めるプロアスリートを対象にしています。そして、冷水風呂が効果的だという証拠は、かなり不足しています。

一方で、イギリスのテニスのスター選手アンディ・マレーは、冷水風呂をおおいに推奨しています。試合後には必ずシャワーを浴び、食事をしてマッサージを受け、8～10℃に保たれた冷水に8分間も浸るそうです。マレーだけではありません。七種競技のオリンピック金メダリスト、ジェシカ・エニス＝ヒルは筋肉のために、冷水を張った大型の車輪付きゴミ箱の中に立って浸るそうです。

冷水に身体を浸すことで、運動により上がった体温を下げ、増えた血流を減らし、炎症を抑えて身体の回復を早めるというのが、マレーとエニス＝ヒルの考えです。筋を痛めたときに、凍った豆の入った袋を押し当てて痛みと腫れを鎮めるように。

炎症緩和のための冷却は怪我には有効でも、アスリートが筋肉をつけたいときには逆効果になりえます。血流が減ると、疲労して傷ついた筋肉が再生する速度が下がるからです。

氷水の風呂を習慣とするアスリートは一定数いますが、これを検証するランダム化比較試験は思ったほど実績がありません。オーストラリア、ノルウェー、日本に拠点を置くチームが氷水への入浴と緩やかな整理体操（多くのアスリートが普段から行っているもの）を比較する研究をしています。複合的な要素を観察しなければならないため、被験者を大人数にするのは現実的ではなく、運動を日常的に行う男性9人が対象となりました。

男性たちは研究所にそれぞれ違う日に出向き、ランジ、スクワット、氷水の風呂、軽めのサイクリング、血液採取、太ももの筋肉の生体組織検査などの要素を管理されました。

結果、運動後には予想どおり筋肉に確認できる炎症の数は増えますが、氷水の風呂に入ってもその値に変化はなく、筋肉の休息や回復は確認できませんでした。私にとってはうれしい結果です。**氷水の風呂も冷水のシャワーも、元日のフォース湾での寒中水泳もしなくていいのですから。**

■ 普通の風呂もジェットバスも幸福度を高める

温かい風呂に入ることを貫くと決めたところで、あとひとつだけ、最も重要な疑問に答えましょう。泡風呂に安らぎ効果はあるのでしょうか？（念のため。泡［バブル］と言っても、アイボリー・ウィンディ・ボトム著の風変わりな本で私のダントツのお気に入り、『Bubbles in the Bath』の話ではありません。普通の風呂をシャンパン風呂に変身させるあのバス製品のことでもありません）。

お湯が冷めるのを防ぐ目的なら、答えはイエスです。泡の層が蓋の役目を果たして、熱が逃げるのを妨げます。

泡風呂にするとより安らげるという仮説を支持する証拠は見つかりませんでしたが、だからといって否定されたわけではありません。私が見つけたなかで一番近い研究は、質問の方向が少しだけ違っていました。ジェットバス付きの風呂と、静かで動きのない風呂と、どちらがよりリラックスできるかというものです。

この極めて重要な問題の決着をつけるために、1990年にミネソタ州にあるジェットバスのショールームである実験が行われました。

ショールームで行われたと知って私の頭の中に浮かんだのは、ショールームのバスタブ一つひとつに裸の人間が浸かっているのを、お客さんが困惑しながら見てまわる様子でした。実験は店舗が休みの日曜日に行われたことがわかって安心しましたが。

結果的には、モラルのためにもジェットバスの売り上げのためにも休日に行ったのは正解でした。なぜでしょう。**普通の風呂も華やかなジェットや泡が出る風呂も、不安感を減らしたり幸福度を高めたりする点では何も変わりはない**、という結果が出たためです。

この実験から、入浴すること全般についてのよいニュースが得られました。

泡のあるなしに関係なく、被験者は入浴後に安らいだ気分になりました。被験者たちはこうコメントしていました。「筋肉がすべて緩んだような感覚です」、またはとても幸せそうに「これこそが人生」と。

これでまとまりましたね。このあたりで失礼します。そろそろお湯があふれてしまうので。

人気の休息

第6位 長めの散歩

THE ART OF REST

■ 歩くことで、満足感と心の安らぎを得られる

若い頃は歩くことがそれほど好きではありませんでした。チリ南部のトーレス・デル・パイネ国立公園で、はからずも超人的なハイキングをするまでは。はからずもと言いましたが、公園名の由来にもなっている「塔（トーレス）」、つまり巨大な花崗岩（かこうがん）の尖塔を見るために、ハイキングには自分の意思で行きました。

ただ出発するときには、どれほど長く大変な旅になるかを知らなかったのです。私は夫を信じていました。「往復5時間だよ」と、前の晩に木造の宿泊施設「Refugio」の大部屋の寝室で横になった夫は言ったのです。結構長いけれど何とか歩き通せそうだと私は思い、眠りにつきました。

翌朝、私たちは緑でいっぱいの谷間を歩き、森の中を流れる岩だらけの浅い川に沿って小岩のでこぼこを避けながら進みました。

森の中のある場所まで行くと、木の幹に南京錠をかけてリュックサックを置いていったほうがいいと、ほかのバックパッカーから助言を受けました。ここからはもっときつくなるからと言うのです。半分歩き、半分這い上がるようにして小岩だらけの道を進み、大岩をどうにかよじ登って越えた先に、三日月形の台地と信じられないほど青い湖が現れました。空も見事な青さでした。

正面には、垂直に切り立った巨大な平たい一枚岩が三つ、荒涼とした風景のなかに大きなギザギザとしたかいのように突き出していました。この有名な天然の塔はあまりにも高いため、勇敢にも頂上まで登る人は中腹で一泊する決まりになっています。薄い空気のなかで強風にさらされ、地面に固定したテントにフックとカラビナで身体を固定されて、何もない空をじっと眺め、虚空に用を足して、一晩を過ごすそうです。

とにかく、信じがたい眺めでした。間違いなく、私が人生で見たなかで最も素晴らしい景色のひとつでした。大変な思いをして行った価値がありました。

でも往復５時間は正しくありませんでした。それどころか、２倍かかったのです。素晴らしい景色を眺めながら座って弁当を食べたときにはすでに６時間目に突入しており、まだ復路すら始まっていなかったのです。

復路のはじめのうちはそう大変ではありませんでした。復路の真ん中あたりにあった、ホットチョコレートに浸したチュロスを売るカフェは、絶景に次ぐ素敵な思い出です。でも最高の景色が傍にあるにもかかわらず、最後の２〜３時間は辛い道のりでした。ひとつだけ、私を鼓舞するものがありました。


朝出発する前、ハイキング終了後に入れるようにと、私たちはこぢんまりとしたＢ＆Ｂ（朝食付きの安い宿泊施設）の１部屋を予約していました。これがとにかく楽しみだったのです。浴槽付きの部屋でした。

一枚岩の塔を見た後の復路で私はずっと、熱い湯を張った風呂に滑り込み、赤くなった足、痛む膝、ひりつく太ももをいたわる瞬間を夢想していました。

でもすっかり日が暮れて夜になり、例の下見板（サイディング）張り［横板を少しずつずらして重ねてつくる壁］の宿に近づいたとき、「私たちの」部屋に明かりが灯っているのが見えたのです。

中では二人組がリュックサックの荷をほどいていました。一人はまさに「私の」風呂に入ろうとしているところでした！　ひどく悲しい思いに襲われましたが、何か事情があったのだろうと自分に言い聞かせました。どうやら、私たちの到着があまりにも遅れたため、宿主がもう来ないものと決めつけて部屋を別の客に渡してしまったのです。

私たちは町の中をさらに歩き回って別の宿を探しました。浴槽付きの部屋がいいと、私はあくまで言い張りました。

そして、私は何か悟りのようなものを得たのです。その晩はくたくたに疲れ切って痛む身体でベッドに入りました。ハイキングにかかる時間を夫が見誤ったこと、ひょっとすると嘘をついた可能性すらあることを、まだ許せそうにはありませんでした。ただひたすら歩くだけの時間は、疲れただけでなく退屈でした。

それなのに、ベッドの中で、私の心は喜びに満ちていました。とても長い距離を歩き通した自分を誇らしく思えたからというのがひとつ。世界有数の自然の驚異を目の当たりにして感動したからというのもひとつ。

でも、もっと大きかったのは、計り知れない満足感と心の安らぎです。なぜ多くの人が歩くことが好きなのか、やっとわかったのです。以来、私は熱心に歩いてきましたが、あの日が人生で一番長く歩いた一日です。

いまや私にとって散歩は楽しみであり、その喜びに気づくのが遅かったということ以外は、ほかの歩くのが好きな人たちと同じです。

休息調査の参加者の38％が、休息を得られる活動トップ3に歩くことを入れました。

散歩が人気を得る要因はたくさんあります。私の場合、あの三つの一枚岩の荘厳なたたずまいが大きなきっかけです。もっと言うと、長い散歩を楽しいと思える大事な条件が、コンクリートや慌ただしさ、行き交う車から離れた田舎を歩くことです。自然のなかで過ごすことは休息調査で第2位に入ったので、「第2位　自然のなかで過ごす」の章で詳しく説明しましょう。

この章ではほかの理由に注目し、一見休息と対極にあると考えられる、労力や運動をともなう歩くという行為がなぜ安らぎに繋がるのかを説明し、その身体的、精神的な要因を考えていきます。

■ 散歩には「無」と「新」の完璧なバランスがある

特別な場合を除けば、散歩に出るときに必要なものはほとんどありません。歩くことが喜びとなる理由のひとつが、その簡素さです。

でも、もっと重要なカギとなるのは、歩く行為は、何もしないで過ごすときに立ちはだかる大きな二つの難点を解決しているところです（何もしないことの難しさには、次の章でより詳しく述べます）。

ひとつ目の障害は、罪悪感です。休みたいと思い、休息の価値とメリットを理解していても、家にも職場にもやるべきことが山のようにあると知っているから、罪悪感を抱きます。拭き掃除、電球の交換、書かなければならない書類に報告書と、やるべきことは常にそこらじゅうにあります。でも、家や職場を離れて散歩に出た瞬間、そのすべてから距離を置けるのです。

結局、散歩に出ている限り、あなたにできるのは歩くことだけ。もちろん、携帯電話の通知を切ればですが。

アメリカの詩人で随筆家のヘンリー・デイヴィッド・ソローは、休養のために歩くことを提唱した先駆者の一人です。

歩くことの最も偉大なメリットのひとつは、人を家庭と職場の要求から逃がしてくれるところだとソローは述べました。

「一日に少なくとも四時間、ふつうは四時間以上、森を通り丘や草原を越え、世間の約束ごとから完全に解放されて歩きまわることなしには、自分の健康と精神を保つことができない、と私は思っています。（中略）多くの職人や店の主人が、作業場や店に午前中だけでなく午後もずっと座っています。足は立ったり歩いたりのためではなく、座るためにつくられたかのように足をずっと組んでいるのです。よくこれまで自殺しなかったと驚嘆せずにはいられません。錆びついてしまうことなく一日中自分の部屋にいることが、私にはできないのです。（中略）

私は隣人たちの無感覚や忍耐力にびっくりしてしまうのです。何週間何ヶ月も、いえ何年にもわたって、自分の体を一日中、店や事務所に閉じこめておける隣人たちに」――『歩く』（山口晃訳、ポプラ社、２０１３年）。

この一節で一般的な仮説をひっくり返している部分が、私は一番好きです。忍耐力を要するのは長い散歩ではなくデスクの前に座っていることだと主張しています。

私が本書の執筆に必死に取り組んでいるとき、ソローの主張は私の思いとぴたりと合致しました。これ以上の詳しい説明はありませんが、歩くことが見事に休息になると、ソローは確実に理解しています。

心はもちろん、身体にとっての休息でもあります。脚をたたんでおくよりも伸ばしたほうが、よっぽどゆったりと過ごせます。

休息に立ちはだかるもうひとつの障害は、退屈への恐怖心です。散歩だって退屈なこともありますが、たいがいは自然の風景が楽しませてくれます。きらめく海と白い崖、緩やかにうねる緑の丘と黄色いトウモロコシ畑、生け垣に並んだ木々と暗い森。町の中を歩くときには、刻々と変化する背景を楽しめます。たくさんの家と庭（私はいつも興味深く見てしまいます）、教会（そうでもないです）、公共の建物にパブに（ちょっと飲んでく？　いいよね？）……。

そして歩きながら出くわすちょっとしたものにいちいち気をとられ、興味をそそられます。

あの足跡、大きすぎない？　あの踏み越し段［牧場の柵に設けた階段。人間は乗り越えられるが家畜は通れない］、すごく不思議な形。これは何の鳥の鳴き声？

外の景色に気を惹くものがなかったとしても、歩くときの一定のリズムの繰り返しが、単調な活動にどういうわけか面白みを与えてくれます。**歩いていて道に迷うことはありますが、歩く行為そのものに迷い込むこともある**のです。

家から駅への徒歩移動など、歩くのが目的地に着くための手段にすぎないときでも、歩くこと自体を目的にもできます。ほかのことを考えずにいられる貴重な時間です。

私はロンドンの事務所でのミーティングの合間に歩きに出ますが、これは考えをまとめたり心の準備をしたりするためではなく、自分のスイッチを数分間オフにするためです。歩くときのリズムが、それを可能にしてくれます。

これとは対照的に思える意見ですが、レベッカ・ソルニットは歩くことの歴史を書いた『ウォークス　歩くことの精神史』（東辻賢治郎訳、左右社、２０１７年）で、自分の著書について集中して考えていいと許されたように感じるのは散歩に出たときだけだ、と書いています。自分専用の机を持っていてもです。現代では、ただじっと考えにふけるのは生産的な時間の使い方とみなされません。深く思考する必要があったとしても、何もしていないかのように見えると思うと、現代人の気持ちが受け付けないのです。

では、どのようにして考えごとに没頭できる状況をつくればいいのでしょう？　ソルニットは「人は何かをしている振りをすることがせいぜいで、何もしないことに最も近いのは歩くことだ」と書いています。

私は車を持っていません。お店、病院、友人の家、レストランやバーなど、近ければどこへでも歩いていきます。何百回と近所を歩き回った結果、地元のかなりの道を熟知しています。隣人と出くわしたらお喋りをします。街灯の柱に紐でくくりつけられた「スウィートコーン、レオ、ルーシーを探しています。人なつこい、可愛い猫です」という迷い猫のチラシを読みます。日が暮れて家々の電気が灯っていたら、窓の中にある暮らしを想像します。夜遅くなると、少し向こうの舗道でキツネが食べ物をあさって鼻をフンフン鳴らしているのをよく見かけます。私が近づくのを見ても、キツネは怖がりません。あさり終えたらゆっくりと去っていきます。

もちろん、空に暗雲が立ちこめ、土砂降りになり、買い物袋が私の手のひらに食い込むときは、店から家までの一本道があまりにも長いことを呪い、ある日この道が魔法で縮まらないかしらなどと夢想します。近所を歩く時間が毎回必ず安らぎとなり、夢中になって楽しめるわけではありません。

外を不用意にうろつけない地域で一泊するときは、散歩に出られないことを悲しく思います。ときどき出張の際に、ホテルの外を歩き回るのは安全とは言えないエリアに泊まることがあります。治安が悪い場合もありますが、もっと多いのは、誰も歩きたい人などいないだろうとばかりに交通量の多い道路に歩道がないときです。

アメリカのモーテルの受付係に「ちょっと歩きたいのですが、どちらの方向に行けばいいですか？」と尋ねて、完全に戸惑わせてしまったこともあります。「単にそのあたりを見てみたくて」と私が付け足すと、受付係はなぜレンタカーで行かないのかわけがわからないといった様子でした。実のところ、レンタカーを選べばよかったと後で思いました。高速道路の横を歩き、立体交差の下をくぐり、ショッピングモールを通り抜けたその日の散歩は、楽しいものではありませんでした。

それでも散歩は、見知らぬ場所を探索するにはよい手段と考えられています。近い場所を見てまわるには、歩く速さがちょうどいいのです。景色を眺めて面白いものを見つける余地は残しつつも、日常の心配事に向き合うほどの余裕はない、ちょうどいいペースです。思考が移ろえる程度に、五感がはたらく程度に、ほどよくゆっくりとしたペースです。

散歩には、何も考えない「無」と発見の「新」の完璧なバランスがあるのです。

■ 歩くことが、生きるペースを緩めてくれる

歩くことが安らぎに繋がるもうひとつの理由は、私たちの時間の捉え方を変える点です。もっと正確に言うなら、時間の速さを、自然だと感じられる速度に正してくれます。

散歩をするために時間を犠牲にする必要はありますが、歩いていると時間が増えたように感

じられ、いわば初期費用を回収できるどころかプラスになります。**人が速度を緩めるのに合わせて、時間も速度を緩めるかのようです。**

どのくらいの時間が過ぎたかを頭で理解するとき、どのくらいの距離を移動したかが基準のひとつとなります。長距離をものすごい速さで移動できる近代的な交通手段は、この基準に混乱を招きます。

飛行機が最もわかりやすい例でしょう。はるかに遠い場所にも短時間で着くため、距離と時間が頭の中で同期されません。移動時間を実際に過ごし、機内で退屈を味わったにもかかわらず、離陸前にもう到着したかのように感じることがあります。もしくは途中で何日間か失ったかのように感じることも。体内時計が現実に追いつくのにひと苦労です。

一方で、車移動にはもう慣れきってしまったためか、私たちは、車が距離を短く感じさせ、時間を速く過ぎ去らせるという現象にも慣れています。車に慣れたことのよい点は、人間の本来のスピードである歩く速度を遅いと感じるようになり、歩くときに時間が増えたような錯覚を覚えるところです。

4日間かけてチェコ共和国の一地域を歩いて旅したとき、満足するまで歩いて4日目にとうとう嫌気がさしたので、出発地の町までバスで戻りました。徒歩で探索するのに4日間かかった広大な大地は、バスで突っ切ればたった25分の距離でした。そこからまた別のバスに乗ってプラハへ出て、市中心部までは地下鉄に乗りました。この移動ばかりの一日は退屈で、いつの間にか過ぎ去りました。詳しいことが何も記憶に残っていないのです。

対照的に、歩いた日のことは隅々までよく覚えています。どうやら、現在にも過去を振り返ったときにも、**歩くという行為は時間を引き伸ばして深みを与えるようです。これが、歩くことで安らぎを得られる理由なのでしょう。現代では、日常のあらゆる物事の速度が増していますが、歩くことで、生きるペースを緩められるのです。**

■ 偉人も歩きながら考えていた

「歩くことで、わたしたちは自分の身体や世界の内にありながらも、それらに煩わされることから解放される。自らの思惟に埋没し切ることなく考えることを許される」――『ウォークス歩くことの精神史』（東辻賢治郎訳、左右社、2017年）。レベッカ・ソルニットは歩くことだけが持つ特性をこの2文にまとめています。**歩くとは、身体と心の両方を、ちょうどよく使う活動です。**

レベッカ・ソルニットと同様、ベートーベン、ディケンズ、ゲーテ、キルケゴール、ニーチェ、ワーズワース、カント、アリストテレス（これでもほんの一部です）も、そろって長い散歩の愛好家でした。理由はみんな同じ、思考する機会をつくれるからです。

「どんな素晴らしい考えも歩いているときに生まれた」と、哲学者ニーチェは1889年に書いています。その1世紀前にはルソーが、歩いているときが唯一の集中できる時間であり、「止まると思考も途絶える。私の頭は脚と一緒でないと動かないようだ」と書いています。

この偉人たちのような才能は多分持ち合わせていない私たちも、同じことをしているのでしょう。何かに夢中になり、行き詰まって散歩に出ます。本題について考えるのをあえてやめると、運がよければ解決策が降ってきます。

「頭をすっきりさせる」ために散歩をしてくると言ったことのある人は多いはずです。それはつまり、頭の中に問題が結び目をつくっていて、歩くことでそれがほどけそうだという意味です。雲をすっかり吹き飛ばすかのように。

歩くことが創造力の向上に繋がることを示す研究結果はたくさんあります。

スタンフォード大学の研究チームは、被験者に四つの行動をランダムに割り当てました。室内の何もない壁の前でルームランナーの上を歩く、室内の何もない壁の前で椅子に座る、大学キャンパス内を歩き回る、車椅子に座って誰かに押されながらキャンパス内の同じルートを歩き回る、というものです。

その後、被験者は創造性を測るテストを受けました。日常生活で目にする物、たとえばボタンの使い道をできる限り多く考えるというタスクでした（小さなざるにすると答えた被験者がいたそうで、とても素敵な案だと思いました）。

得点をもらうには、ほかの被験者が思いつかない独自の用途を考え出さなければなりません。

でも、宇宙船にするなどといった実現不可能な案ではいけません。論文ではこの作業を「適切な新しさの産出」と表現しました。たとえば、ライター用オイルをスープの材料にするのは、独特なアイデアではありますが適切ではありません。

実験の結果、アイデアを自由にあふれさせるのに適した行動は、屋外を歩くことだとわかりました。その次に室内を歩くこと、そして車椅子を押されて屋外を移動することと続き、室内で尻を落ち着けて過ごすのは、びりっけつでした。

ついでに言っておきたいのですが、無味乾燥な学術論文では普通見られないだじゃれが、この研究の論文には散りばめられていました。「putting observations on a solid **footing**（強固な基盤について所見を述べる）」「putting your best **foot** forward（最良の印象を与えられるように）」などの言い回しが使われ、論文タイトルは「名案のためには**脚**を動かせ」でした。

研究チームは自分たちの実験結果から学びを得て、クリエイティブな執筆力を解き放つべく長い散歩に出たのだろうか、などと考えてしまいました。

ちなみに、車椅子を使う人に安心してもらいたいのですが、自力で車椅子をこげば屋外を歩いた人と同程度の創造性向上が見込める、と論文のあとがきに書かれていました。

この研究とたくさんの類似研究が明らかにしたのは、**自力でする運動の何かしらの要素が、人の考える力を解放するらしいということです。**

アリストテレスたちはこれをすでに知っていたわけですが、研究の意義とは常に新しい何かを発見することだけではなく、主観的な認識を科学的に実証することでもあるのです。

歩くことがもたらすメリットは、創造性向上（それと健康増進）のみではありません。**誰かと一緒に歩くと、他人に共感する気持ちが高まり、他人によりよく協力するようになる**と示すデータがあります。

誰かと隣り合って歩くと、知らず知らずのうちに動作が相手とシンクロしはじめます。交通量の多い道路を渡るときや何か気になるものを見つけたときには、自然と会話が止まります。その後まるで中断などなかったかのように、自然に会話を再開します。被験者に集団で足並みを揃えて歩いてもらうと、グループのために自己犠牲を払おうとする気持ちが高まることすら確認されています。

こうした理由から、争いごとや紛争の解決を図るときは、当事者同士が一緒に歩きながら話をすべきだ、という提案があります。会議テーブルを挟んで向き合うと互いの凝り固まった態度が硬化するばかりでしょうから、並んで歩き、外の世界を一緒に見てはどうかという案です。実際の和平会談で試されたことがあるかはわかりませんが、試す価値のある考えだと思います。

スーツを着た真顔の男女グループがみんなでハイキングに出かけ、アルプスの山道をゆったりと歩くうちに建設的な和解案を思いつくところを想像してみてください。

代表使節たちが夕方になって山から下りてきて、くたくたに疲れ切って、でも朗らかな様子で「こんばんは。シリアの紛争が解決しました！」などと言ったら、素敵ではないですか？

当然、和平山歩きが静寂のまま進行する可能性だってあります。私はというと、歩きながら喋りまくるほうです。もともとお喋りな性格なのです。それでもときどき感じるのは、歩く行為には会話のないときの静けさがとても適していることです。

フランスの哲学教授で作家のフレデリック・グロは、誰かと一緒に歩くことを「孤独の共有」と表現しています。喋ることもできますが、沈黙を言葉で埋める必要はありません。歩くことで沈黙はすでに埋められているからです。横並びで味わう孤独、とも言えそうです。

玄関の外のポーチに並んで座るカウンセリング法を思い出しました。**人は対面で向き合うよりも横並びで座るほうが、個人的な問題について話しやすいと感じることがあるそうです。**同じように、ティーンエイジャーの我が子と話すのに一番いいのは、自分が車を運転していて子が助手席にいるときだ、と言う親もよくいます。相手と直接対面することなく話ができます。**話をするのに、形式的な対峙の要素は不要なのです。**

歩くときにはもうひとつ要素が加わります。日常生活から少しだけ切り離されているため、思考することを自分に許すのと同じく、単調な仕事や繰り返しの日々で見て見ぬふりをしていた問題に切り込む気分にもなります。たとえば人間関係や将来のこと、人生の意味や死後の世界について、などです。

最後にまとめると、**歩くことは、自分を解放して思考できるようにするにとどまらず、深い**

思考を促します。これは休息になるのでしょうか？　そう、真の安らぎはときに、最も深い問いに向き合うなかで見つかるものです。

■ 疲労困憊が休息になる？

歩くことのメリットはさまざまですが、休息を考えたとき、やはり矛盾は残ります。休息とは間違いなく止まることを意味するのに、歩くとは前進運動です。

ここから、もっと根本的な疑問が浮かびます。休息をとるにあたって、休ませたいのは心でしょうか？　それとも体でしょうか？　片方を消耗することでもう片方が休めるのでしょうか？　もしくは、心と体の適切な関係を見つけることが真の休息なのでしょうか？

詩人スティーブ・ファウラーは、かつては格闘家でした。あまりに穏やかな人なので、いまの姿からは想像もつかないでしょう。でも相変わらず健康でたくましい身体をしています。敵に向かってパンチを打つことはもうありませんが、いまもスポーツジムのサンドバッグに向かって、くたびれはてるまで打って打って打ちまくるのだそうです。なんと、完全に疲弊した状態からさらに数時間パンチとキックを繰り出しつづける「疲弊時のパフォーマンス」を見せる映画まで撮っています。

これが自分なりの安らぎを得る方法なのだと、ファウラーは語ります。

ファウラーは私に、ときどきどうしようもなく落ち着かない気持ちになること、それを脱して安らいだ状態になるには疲労の限界まで運動するのが最速の手段であることを、語ってくれました。運動の後にはいっそう創造的に詩を書けるだけでなく、運動前よりも確実に優しくなれるそうです。

さらに、極度に激しい運動がなぜ安らぎに繋がるのか、その核心に迫る考えを話してくれました。ファウラーにとって**激しい運動は、「自分を自分の中から引っ張り出す」一番直接的な方法**だそうです。

スティーブ・ファウラーの休息方法は、どう見ても歩くよりも激しい活動ですが、ファウラーにも仲間はいます。**休息調査では、回答者の38%が歩くことで安らぎを得られると答えましたが、このほかにも16%が別の運動から、8%が走ることから安らぎを得ると回答しました。**

走ることとは疑いようもなく休息の逆です。座るのではなく直立し、じっとするのではなく動き、呼吸は穏やかではなく速く、筋肉を休めるのではなく活発に動かします。それでも、多くの人がこれを休息と感じ、安らぎを得るために不可欠と考える人すらいます。

歩く話題から少しだけそれますが、走る人たちからも学べることがあるように思います。

〃片足を反対の足の前に、片足を反対の足の前に〃。このおまじないを唱えつづければ何マイルも何マイルも先まで行けると、長距離走が趣味の執行役員が話していました。自分が走れると思う距離よりもずっと長く走れる、というのです。
〝片足を反対の足の前にと、休まずにただ脚を前に出しつづければ、何も自分を止められない〟。

彼がモロッコのサハラマラソンに参加したとき、岩だらけの砂丘を夜通し走りぬくために、この言葉をモチベーションの糧(かて)にしたそうです。大会名からは、マラソン1本分(42・195キロメートル)を走るものと思えますが、実はフルマラソンを6日間連続して走る大会です。

途中でリタイアした人(脱落者)は「abandoned(放棄者)」と呼ばれ、集合地点で見分けがつくように目印となる緑色のアームバンドを付けます。恥ずかしいでしょうが、少なくとも休む機会を得られてうれしいのではないかと私は思いました。でも彼曰く、「違う、あれは絶望でしかない」のだそうです。いずれにしてもそこまで打ちのめされてしまったら、それは安らいだ状態とは言えないでしょう。

激しい運動から安らぎを得られる理由のヒントを示す研究があります。神経科学者のチームが、一流の長距離走選手の脳には、あまり活動的でない人とは異なる信号パターンが見られることを発見しました。

走るときだけではなく、選手たちが脳スキャン装置の中に横たわって休んでいるときにも、脳の作動記憶と実行機能に関する部位の連携活動が増加していました。そして、脳のお喋りと言えるデフォルト・モード・ネットワークの活動は減少していました。

この現象は、程度に差こそあれ、日頃から経験を積んだ瞑想家の脳に見られる神経活動パターンとよく似ています。耐久レースの経験が豊富な人ほど、この現象も強まりました。まるで、瞑想時の脳へのメリットを走ることで得ているかのようです。

身体的な激しい運動は脳に休息を与え、脳のお喋りを静めることができるのです。

この効果は走り終えても続きます。もしかすると、歩くときにも同じ効果を多少は得られるのかもしれません。フレデリック・グロは**歩くことを「西洋版の瞑想」と呼んでいます。**

それでもまだ、運動がもたらす安らぎは、運動をやり終えたうれしさが大きな要因なのではないかという疑問が残ります。

私は定期的にランニングをしており（持久走ランナーがこれをランニングと呼ぶかは疑問ですが）、できない日はがっかりするものの、私にとって最高の瞬間はランニング後に家に戻って好きな方法で休むときです。

それに、散歩の楽しみのひとつは立ち止まることです。ルソーは「気楽に歩いて好きなときに立ち止まるのが好きだ」と言いました。一人で歩くときは誰かに意見を聞く必要もありません。好きなときに立ち止まって、田舎の風景を眺めたり、達成感からくる温かい喜びに浸ったりできます。大きく突き出た岩の下など、風をしのげる場所が見つかるかもしれません。ほかの環境にいたなら食べる気が湧かないであろう、リュックサックの底でつぶれたジャムサンドイッチが最高においしく感じられます。

家に帰り着いてやっとしっかりと休めると思えたときに感じる疲労は、爽快感をともなうタイプの疲れです。何時間もデスクに座りっぱなしで仕事をした後のこわばった疲労や、ジムで自分を追い込みすぎた後の筋肉の痛みとは違います。やっと本当に休むことができるという、満足感でもあるのです。

まだ理解できないのは、日頃から運動をする人はフルマラソン6日目も変わらず楽しめるのか、それとも基本的には完走する瞬間を楽しみにしているのか、という点です。これを解明するには、本人に尋ねてみて正直に答えてもらえることを信じるしかありません。

ある研究チームがまさにこの調査をマラソンランナーに対して実施しました。まず、ランナーたちに自分の思考の流れを実況解説する方法を教えます。たとえばこのような具合です。

思考プロセスを追いながら動物を20種類挙げてみましょう。なかなか面白いですよ。

私の場合こうなります。犬、猫、ネズミ、じゃあ大きい動物は？　ライオン、トラ、ゾウ、クジラ、イルカ、ネズミイルカ、ほかに海にいるものはというと、アザラシ、セイウチ。小さめの野生動物にいこうかな、キツネ、オコジョ、アナグマ、ウサギ、ノウサギ、シカ、これで20いったかな？　いや、もう少し。ビーバー、カワウソ。アフリカの動物で挙げてないのがありそう。ヒョウ、チーター、ライオン。言ったっけ？　言ったかも。サル。これは言ってない。チンパンジー、ゴリラ、キツネザル。そろそろ足りてるはず。野生動物の映画を思い出してみようかな。トビガエル、クロコダイル、アリゲーター、ヘビ。間違いなく20は超えた。トカゲ。どんどん出てくる。

マラソンランナーたちはこれを練習してからランニングに出発し、走るあいだに思い浮かんだ内容を実況解説のように録音しました。終始正直な言葉が録音されたと完全に保証はできませんが、それでも興味深い結果を得られました。

私が走るとき、走ること自体から頻繁に気がそれます。走りながらポッドキャストや音楽を聴いたり、通りで見たものに気を取られたりすることが原因です。

でも、本格的なマラソンランナーは違うようです。思考のうち72％は自分の走るペース、走った距離、身体の痛みや違和感、走りつづけるための戦略などに関することでした。わずか28％が景色や天候、交通状況についての思考でした。

自分を元気づけるための独り言も多く見られ、たとえばローリーという選手は、「ネガティブはだめだ！　ネガティブはだめ。切り替えよう、どうってことない」と言っていました。ビルという選手は、急勾配を登るときに「メンタル、メンタル、メンタルだ」と言い聞かせていました。

ランナーたちが走りながら安らいでいることがわかる言葉は特に見当たりませんでしたが、走り終えた後に安らいだ可能性はあります。試合に出るのなら、走ることに集中するのが成功のカギでしょう。でも、**ほかの作業から逃れる目的で運動をする場合には、心を解放して自分を休ませ、気分をリフレッシュさせたい場合には、思考は移ろわせておいたほうがよさそうに**

思えます。

■ 歩くとは、座ることからの解放

歩くことは、気晴らしになり、身体を疲れさせ、より安らいだ気持ちをもたらしますが、特に短時間の散歩に対してはまた少し違った見方もあります。**座ることからの一時的な解放**です。

会社員の多くは一日の最大75％をデスクの前に座りっぱなしで過ごします。勤務時間中に数時間ばかりハイキングに行こうか、なんてできません。

ただ、ここでよいお知らせです。ハイキングに行く必要はありません。**ほんのちょっと散歩するだけで、健康にはメリットがなくても幸福度には差が出ることがわかっています。**

ある実験では、被験者は6時間席についてパソコンで仕事をし、排泄以外は席を立ってはいけないとされました。

朝、被験者の半数は、ルームランナーでほどほどの早歩きで30分間歩きました。残りの被験者は、同じ量のウォーキングを1時間おきに5分間ずつに分けて行いました。どちらのグループが一日の終わりにより安らいだ気分になり、元気があったと思いますか？

答えは短時間に分割して歩いたグループでした。いずれのグループも歩いた直後は元気になりましたが、短時間に分けたグループではその効果が一日中続きました。仕事を終えたときに気分がよく、空腹を感じる度合いが低かったのも分割して歩いたグループでした。

というわけで、歩くことで安らぎの効果を得るには、山のふもとに住んで毎日夕方に長々とハイキングをする必要はないのです。街を長時間歩く必要もありません。ただ**デスクを離れてオフィスの周りを数分うろうろするだけで、リフレッシュ、元気の回復、休息が叶うのです。**

職場で昼休みをとれるとして、近くの公園を15分間散歩するのとリラクゼーションのエクササイズを15分間行うのとでは、どちらがより休息になると思いますか？

フィンランドの研究によると、どちらも休息になるものの、コツが違うそうです。どちらを行っても疲労度は下がり、普段よりも午後の仕事に集中できました。

リラクゼーションは仕事に関する思考を切り離せた場合に、散歩は運動を楽しんだ場合に、最も効果が高まりました。リフレッシュに何をしようかと悩んだとき、それは仕事のことを考えずに済む活動でも、純粋にそのものを楽しめる活動でもいいのです。

運動が気分をよくすること、ストレス耐性を高めてネガティブな気分を防ぐ効果もあることを、数々の研究結果が示しています。こうした研究は散歩よりも強い運動に焦点を当てがちですが、近年のある研究チームは、気分をよくするのに最適な運動強度を探るために世界中の良質な研究を精査しました。

ウォーキングとランニングの効果は同程度なのでしょうか？　どのくらいの時間、継続すべきでしょうか？

うれしいことに、10～30分の運動で十分効果が得られるのだそうです。**ランニングとウォーキングのどちらかが飛び抜けて効果的ということはありませんでした。自分が本当にやりたいほうを選ぶのが大切**ということなのでしょう。

研究チームがはからずも発見したのは、気分をよくする効果が最も高いのは、重量挙げのように気を紛らわすが苦しすぎず、達成の程度を測定しやすく、うまくできたとわかって気分がよくなる活動だということです。「え、重量挙げ？」と、私の頭の中は疑問だらけですが。

アメリカで100万人以上を対象に行われた2018年の研究では、歩くことはメンタルヘルスの障害発生リスクを17％低下させると示しました。

ただし、歩いているときの脳のスナップショットを撮る方式なので、歩く行為そのものが本当に障害の予防や減少の真因かどうかには確信を持てません。すでにうつ状態にある人は、散歩に行こうとすら思えない可能性もあります。

このような横断研究では、因果関係に注意をしなければなりません。歩くことが精神障害を予防したのか、すでに不調を抱える人があまり歩かないのか、わからないからです。

しかし2018年に実施された別の研究では、3万4000人の被験者を10年間追って、この問題に取り組みました。

結果、被験者がうつ病を患った経験がない場合、定期的な運動がうつ病予防になることがわかりました。

あらゆるうつの症状を防ぐとは言えませんが、研究で得たデータから計算すると、週に1時間の運動をすればうつの症例の12%を防げることになります。

繰り返しになりますが、ここでもメンタルヘルスの観点で言えば、**ウォーキングとランニングの効果は変わりませんでした。**つまり、特別体力がないといけないわけではありません。

ただし、うつの症状がすでにある人に「運動は試した？」と尋ねるのには注意が必要です。

一般医がうつ病患者に運動を勧めて功を奏することは多くありますが、患者のなかには、ランニングを始めてはどうかとやたらと勧められるのを嫌う人もいます。ランニングはメリットが多いとはいえ、誰にでも合うわけではありません。毎日歩く機会があっても、全員がそれを楽しめるわけでもありません。**安らぎを得る方法は複数あり、自分に一番合うものを探すべきなのです。**とはいえ、運動した日の夜はよりよく眠れるというデータもあるにはあります。

さて、休息と運動の関係の話で、触れておくべき不思議な要素がもうひとつあります。休息調査によると、**よく運動をする人ほど「自分は休息を多くとっている」と思っているのです。**そしてそれは真実でした。よく運動をする人が過去24時間にとった休息時間数は、あまり運動をしない人と比べるととても多かったのです。

考えてみれば理由は単純です。運動自体を休息だと感じているのに加えて、運動後に座って休む時間も確保する傾向が強かったからです。二重の効果ですね。

■ 歩数を数える

私が歩くことの楽しさに気づいた、チリでのハイキングの話に戻ります。当時はFitbitや歩数計測アプリはありませんでした。シリアルを買うとおまけに歩数計がもらえることはありましたが、使う人はあまりいませんでした。

いま私が使っているアプリがチリ旅行の時にあったら、行程の4分の1を終えるあたりで、1万歩達成を祝う黄緑色の紙吹雪が携帯電話の画面に舞ったことでしょう。私を元気づけてくれた可能性はあります。でも多分、ほかにもいい方法はあります。

近年のFitbit人気から、多くの人がただ歩くだけではなく、歩数を測定し、グラフにして視覚化し、小学校でもらう金色の星のシールのようなご褒美を集めることに熱中しているようです。

私もその一人です。でも歩くのが休息のためならば、少し考えなおす必要がありそうです。「自己定量化」の時代に生きる私たちは、テクノロジーを使って自分の気分からトイレの回数まで、何もかもを追跡します。

健康の面から言えば、もっと運動するよう自分を鼓舞する方法があるのは間違いなくよいことです。英国公衆衛生庁が2017年に発表したデータによると、中年10人のうちおよそ4人が、10分間通して早めのペースで歩く機会を月に一度も持たないそうです。

しかし自分をもっと歩かせる最善策は歩数計測アプリなのでしょうか？　定量化することで、歩く行為が持つ安らぎの効果が奪われる可能性はないのでしょうか？

アメリカの研究チームが、減量を目指す被験者たちを2グループに分け、片方のみに歩数計を与える実験を行いました。すると、歩数計を使ったグループのほうが体重の減りが緩やかでした。

また、13～14歳の被験者にFitbitを8週間装着させたイギリスの実験もあります。被験者たちははじめこそガジェットの目新しさを気に入って互いに競い合いましたが、じきに飽きて、一日1万歩という目標は高すぎて無理だと不平を言い出したそうです。

若い子たちはきっと何か言い訳を探したのでしょう。でも一理あると思うのです。

私も、1万歩という魔法の数字はきりがいいのはわかるがどこから来たのだろう、と長いあいだ疑問に思ってきました。

この話はどうやら1964年の東京オリンピックにさかのぼります。オリンピック開催直前に、ある企業が「マンポケイ」と名付けた歩数計を売り出しました。日本語ではマンは1万、ポが歩数、ケイが計量器を意味します。つまり「1万歩計量器」です。販売戦略は大成功し、それ以来この数字が定着しました。

その後、一日5000歩と1万歩の健康面へのメリットを比較する研究が複数実施され、予想どおり、1万歩のほうが高い健康レベルに繋がることがわかりました。

でも、1万歩があらゆる面で最適な歩数だと広く証明されたわけではありません。歩数をこれ以上増やすと効果は逆に減るというしきい値が、どこかにあるはずです。理想は9000歩かもしれないし、1万1000歩かもしれません。

つい最近の実験では、70代の女性が長生きを目的として歩く場合、効果は7500歩あたりで頭打ちと見られました。一日2700歩しか歩かない人が4000歩以上歩くようにすると、健康効果の伸びが一番見られました。

では、心理的に最適な一日の歩数はどのくらいなのでしょう？　普段2000歩程度しか歩かない人にとっては、1万歩は多すぎて到底達成できそうにない目標であり、意欲を削がれる可能性があります。一方、楽に1万歩を達成できる人は、もっと歩けるのに魔法の数字1万でやめてしまうかもしれません。

よく動いた忙しい日だったと自分では思っても実はたいして歩いていない日が、二日くらい続くことがあります。歩数計のよい面は、そこに気づかせてくれるところです。

歩くことで安らぎを得るタイプの人は、Fitbit を Restbit（休息トラッカー）だと考えて、最低限の休息のためにちゃんと時間を割けているかを見るといいのかもしれません。ただし、**歩くことの楽しさを歩数計に奪われないよう注意しましょう。**

アメリカのデューク大学の心理学教授ジョーダン・エトキンは、歩数を測ると歩く量は増えるが、歩くことを楽しいと感じにくくなると実験で確認しました。自分の意思で歩数計をつけたとしてもです。

被験者たちは、歩数を数えると歩くことが義務のように感じられると話しました。そのうえ、決定的なことには、一日の終わりに感じる幸福度レベルが下がったそうです。

昼休みに15分間散歩をする実験を思い出すと、歩くことがもたらすリフレッシュ効果の大きさは、その人が散歩をどの程度楽しむかに左右されていました。

したがって、**歩数を計測したせいで、歩くことに本来備わる楽しみが損なわれるとすれば、安らぎの効果も一緒に台無しにされる可能性があります**。

歩数計を使うなら、その機器は年齢や歩くスピードのことは考慮してくれないことを覚えておきましょう。９０００歩走るほうがよっぽど健康によいはずなのに、私の歩数計測アプリは１万歩歩いたときのほうがデジタルの紙吹雪を派手に散らして祝ってくれます。

大切なのは、**歩数計をひとつの指針として利用しつつも、自分なりのルールをつくることです**。自分がほかにどのような活動をしているかを知るのは自分ですから。どうしても毎日目標を達成したいけれど安らぎも損ないたくないなら、ごまかす方法はたくさんあります。歩数計を犬につける、メトロノームに貼りつける、散歩好きな人を連れて来て公園で自分の周りをうろうろしてもらう。そのあいだ、あなたはハンモックでくつろいだらいいのです。

もう少し真面目に話すと、歩数計に駆り立てられることなく、歩くことを日常生活に自然に取り入れる戦略もたくさんあります。

普段よりもひとつ前のバス停で降りたり、普段通る道の１本隣の道を通ってほんの少しだけ遠回りをしながら楽しく歩いたりしましょう。いつもの道を歩き飽きたら、見上げてみましょう。ビルの上のほうや、たくさんのお店が並んだ通りの上には特に、予想以上にいろいろなものが見えます。

同じように、田舎を歩くときにも目線の高さに縛られないでください。自然観察が好きな私の父は、私が見逃してしまう自然のあれこれを発見するのに長けていました。目線の高さだけでなく地面、木や空など、上のほうも常にじっくりと見渡しているのです。いろいろなところに目をやるほど、散歩はもっと気晴らしにも安らぎにもなります。

そして、狙いは**あくまで十分な休息をとることだと忘れないでください。定期的に歩く時間をとれなかった自分を責めないことが重要です。**もっと頑張らなくてはと自分を駆り立てすぎないことも大切です。あまり散歩に出る気分ではないが歩いたほうがいいだろうなと思う日は、散歩ではなく休息に行くのだと考え方を変えてみてはどうでしょう。

この本を通して私は、日々のなかで休息と活動のバランスをとることがいかに大切かを伝えています。歩く行為は、それだけでバランスがとれている特別な休息の形だと私は感じています。

仕事や義務から離れられ、だからといって歩くあいだは何もしていないわけではなく、罪悪感を覚えることなく平穏さを手に入れることができます。じっくりと考えごとができ、同時に気晴らしにもなるのです。

人気の休息

第5位 特に何もしない

THE ART OF REST

■ バートルビーの苦悩

「しないほうがいいと思うのです」は、上司から法律文書の点検を頼まれた代書人バートルビーの答えです。校正する資料を持ってくるよう頼まれても、「しないほうがいいと思うのです」と返します。郵便局へ使いを頼まれても答えは同じ。「しないほうがいいと思うのです」。

バートルビーはハーマン・メルヴィル作の短編小説『代書人バートルビー』に登場する、

1850年代のウォール街で働く架空の法律事務員です。19世紀の文学作品の中で群を抜いて怠惰な人物と呼ばれています。もしかするとイワン・ゴンチャロフの小説『オブローモフ』の主役、オブローモフが異議を唱えるかもしれませんが（まあ、怠惰なので唱えないでしょう）。

この物語のおかしみは、無気力に抵抗するバートルビーをどうにか動かそうとする上司の悪戦苦闘ぶりにあります。腹立たしいことにバートルビーは、何もしようとしない理由を語り手にも読者にも何ひとつ説明しません。ただひたすら何もしないことを選ぶのみです。

じきにバートルビーは一切の業務をしなくなり、一日中ただ壁を見つめて過ごします。ついに法律事務所をクビになり、最後の給料を渡されて出て行くよう言われたときも、当たり前のようにこう発します。「しないほうがいいと思うのです」。そして、出て行くこともしません。しまいには上司がバートルビーから逃げるために事務所を移転せざるをえなくなります。

バートルビーは何もしないことの名手です。でも、何もしないことは休息と同じでしょうか？

オブローモフは、怠け者です。ベッドから出るのさえ面倒で、会社に行こうとは夢にも思いません。それとは違い、バートルビーは意思が明確で決然として見えます。何の仕事もせずにいることも実はとても辛い仕事である様子がうかがえます。上司にうるさく言われないように最低限のことだけしておくほうが楽だったでしょうに。

したがって、特に何もしないことで安らぐかどうかに関しては、バートルビーのように辛い例もあると覚えておいたほうがよさそうです。

考えようによっては、何もしないことはたしかに一番純粋な休息の形です。これ以上の休息行為があるでしょうか。そう思えば、休息調査で「特に何もしない」ことが第5位に入ったのもある意味当然でしょう。

しかし少し掘り下げてみると、**何もしないことは人気の休息方法である一方で、ほとんどの人が簡単とは感じていないこともわかりました。休息調査参加者の10％が、どのような方法で休息をとっても罪悪感を抱いてしまうと書きました。**この人たちにとって何もしないことはどれほど苦痛でしょう。

バートルビーの場合は上司が何もしないことを妨げようとしていましたが、私たちの場合、邪魔をするのは自分自身です。

ソファーに座ってくだらないテレビ番組を見ることすら、まったく何もしないよりかはましに思えます。**少なくとも何かをしていますから。**

「昨日の夜は何してた？」と翌日尋ねられたときに、テレビを見ていた、という答えは会話としても自然です。音楽を聴いていた、もしくはのんびりしていたという意味で、「たいしたことは何もしていないよ」という答えもありでしょう。でも「ただ座って何もしていなかった」と打ち明けるのはどうでしょう？　何もしなかったと認めて、自分でどう感じるでしょうか？

現代人からすれば、座って壁を見つめる行為へのバートルビーの執着は異様です。自分の心を乱し、苦しめる行為で、安らぎとは正反対です。だからこそ「たいして」何もしないことが大切なのです。

でも「たいして」どころか、私たちは常に何かをしています。身体を使わないときも頭では何かをしていますし、何もしていないような気分になるだけでも、多大なる集中力と鍛錬が必要となります。

だから最近「doing nothing（何もしない）」と入ったブランド名や「何もしない」ためのハウツー本、さらには指導者までも現れているのでしょう。

何もしないという活動は大変なのです。でもだからといって悪いわけではありません。

この章では、**本当に何もしないことではなく、ほとんど何もしないことがもたらすメリット**を紹介します。ここでも、要はバランスの問題です。100か0かではなくその中間でもなく、限りなく0にそっと寄るのです。私たちにはもっと休息が必要なのですから。

■ 休息が命取りになるとき

何もしない時間に対して、私たちは愛憎絡み合った感情を抱いています。

忙しいときには暇を渇望するのに、暇になったとたんに暇にならないようにします。あいた時間に活動を詰め込みます。きっと何もしなくたっていいのに、何かをするのです。

働く人の多くは、退職後のことを夢見ます。でもそのときが近づくと、特に何もすることのない莫大な時間を前にして強い不安を感じる人も少なくありません。特に何もしないことが実は時間を食うこともじきにわかってきます。

退職した人はよく「時間がどこに消えるのかわからない」とか「毎日が勝手に過ぎていく」などと言います。退職したとはいえ、正規の仕事から退いただけの人がますます増えています。読書クラブ、散策、ピラティス、第3世代大学の受講、クルージングなど、あれやこれやで退職前と同じくらい忙しいのです。

自称「何もしていない」人だって、多くは「何ひとつしていない」のではなく「たいして何も」または「特別なことは何も」していないだけ。楽しそうにぶらぶらしています。新聞を読み、部屋を整理し、買い物に行き、昼食をつくり、壊れた物を直し、家を片付け、もしかするとクイズ番組を見て、夕食のことを考え、こうして気づかないうちに一日が終わっています。

それでも、まったく何もせずに過ごしたい、とどこか切望する気持ちを誰もが持っているように見えます。だからこそナマケモノに密かな憧れを抱くのでしょう。ああ、ゆっくりゆっくり動いて一日中ただ枝にぶら下がっていたいなあ、と。ナマケモノはハンモックのようにぶら下がる習慣を、生き方そのものにしたのです。

実は、ナマケモノという名前は不当な悪口です。ナマケモノはそれほど怠惰ではありません。というより、意図的に怠惰にしているともいえます。消費するエネルギーが少ないほど必要とする食料も少なくすむため、じっとするのは理にかなっています。加えて、食べ物を消化するスピードがとても遅いのです。ナマケモノは何もしていないというよりは消化をしていると言ったほうが的確かもしれません。

１９７０年代の研究では、ナマケモノが口に入れた食べ物が体外へと出るまでに50日間かかることが明らかになりました。

ナマケモノはトイレに関してはかなり几帳面です。普段の静止っぷりとは大違いで、懸命に木から下りてきちんと地面に用を足します。

保護活動家にとってはナマケモノのこのこだわりの強さが悩みの種で、地面に下りたナマケモノがイギリス全国で増えつつある野良犬に襲われるケースがあるのだそうです。木の上にいれば、じっとする習性のおかげで捕食動物から身を隠せます。姿をひと目見たいと熱望してジャングル散策をする観光客からも。

もしかするとナマケモノは、七つの大罪に数えられる「怠惰」にある悪いイメージを、よい方向に変えようとしてくれているのかもしれません。

中世の神学者トマス・アクィナスが、著書『神学大全』で七つの大罪の概略を記しました。トマスによると怠惰とは「善いことを始めるのを怠る精神の麻痺」であり、神のための仕事を行わないという「実際的な悪」に繋がります。

何もしないことに対してこのように後ろ向きな見方をするのは、キリスト教だけの伝統ではありません。ヒポクラテスは「怠惰と不活動が悪に向かわせる、否、引きずり込む」と残しています。

現代人として、これはさすがに言い過ぎではないかと思います。でも**怠惰を悪行や、罪だとまでは思わないにしろ、悪いものだと感じてはいます。悪いものであるはずだ、だって勤勉はよいものというのは常識だから、**というわけです。

勤勉は人を達成や成功に導き、怠惰は導きません。活動は健康と長生きをもたらし、不活動はもたらしません。

座っているばかりではよくありません。座りすぎは新たな喫煙行為、という新聞の見出しもあります。たばこをスパスパ吸うのと同じことをしたくないと、私はいまこれをスタンディングデスクで書いています。北欧では多くの職場にスタンディングデスクが標準設備として取り入れられているそうです。イギリスでも広まりつつありますし、じきにいままでの「座る」は「立つ」になるのでしょう。

こうなると、ベッドの中でだらだらと過ごすなんて、もう論外です。たまの朝寝坊にとどめておかなくては。

実は必要以上にベッドで過ごすのは健康には非常に悪く、宇宙の無重力状態が身体に与える影響を予測するときにベッドが使われるほどです。

一日中ベッドで過ごすのは魅力的ですが、カルシウム吸収の阻害、体重、筋肉量、筋力の減少、骨密度、骨の強度、概日リズムの変化が影響として考えられます。

大きな手術を終えた人や重病からの回復を目指す人でさえ、できるだけ早くベッドから出て生活できるよう支援されます。長期間横になって過ごすことは、本当に命取りです。縦になって座って過ごしたって、運動が足りなければ何か問題が起きます。座ってばかりの生活が肥満、糖尿病、心臓病、心臓発作、がんなどのリスクを上げることを数々のデータが証明しています。

これだけ警告が飛び交っていると、座って特に何もせずに過ごすのはまったく健康のためにならないのだと、思わずにはいられません。

でも、ここでも結局重要なのはバランスとリズムです。**一日中休んでばかりでなければ、何もせずに休む時間があってていいのです。**

何もしないことについて、ここからもっと掘り下げていきます。何もしなくたっていいというだけでなく、メリットがあるのです。休むことの重要性がこれから見えてきます。

■ 夜型人間は怠惰の烙印を押されがち

休むとなると心の中から批判の声が上がり、さらに何もしないとなるとその声はいっそう厳しくなります。

くつろぐ、ぶらぶらする、のんびり過ごすなど、もう少し気軽でさりげない言い方はいくつもあります。しかし、それを何と呼ぼうと、相変わらず人は暇を悪いものとして恐れています。何もしないことを怠惰と強く結びつけ、悪い影響しかもたらさないと怖がっています。

朝、目が覚めてからの1時間を、ベッドの中から天井を見つめ、見えるなら窓の外を見つめ、好きに思考を移ろわせて過ごすところを想像してみてください。

そのような一日の始め方に何も問題はありませんが、やっぱり**社会は、早起きして外に出たくてうずうずしているような朝型人間のほうが、活気に満ちて立派、つまりよいと評価します。**朝日を愛し、ヘルシーなフレッシュジュースをつくって仕事の前のひと泳ぎに備えるような人を称賛するのです。

一方で、夜型人間はだらしがなく怠け者で、いい加減だと評価されます。朝型人間が朝をフル活用している時間に、夜型人間はいびきをかいて熟睡しているか、もっと悪ければ目が覚めているのにベッドの中で何もしていない、というわけです。

私が夜型人間だともうバレているでしょうか。

言い方を正すと、私は遺伝子的に夜型なのです。科学的には、夜型人間は早朝の活動に適さない遺伝的な性質を持つとされています。科学を持ち出して自分を正当化しているわけですが、そもそもなぜ正当化しなければならないのでしょうか。夜型人間であることに誇りを持つべきなのに。

人間の5〜10%は、極端に朝型または夜型に寄っているのだそうです。まだ夜8時半なのに夕食のテーブルについたまま船を漕ぎはじめる人（私の友人がそうです）や、朝10時になる1分前にふらつきながらぼんやりした目で眠たげに職場に現れる人（私です）が、このタイプです。ほとんどの人はその中間にいます。でもどちらかに寄っているからといって、怠惰というわけではないのです。

ただ、これを朝型人間に言ってみてください。毎朝必ず早起きするようにしてみたらすぐに慣れる、と返されます。一日の一番いい時間を逃している、気分がよくなる、とも言うでしょう。でも誰一人、夜型人間でさえ、深夜のよさを朝型人間に説きません。夜型人間が起きて活動している夜9時にすでにベッドに入って横たわって寝ている朝型人間だって怠惰ではないか、などと言えばひねくれ者と思われるだけです。

ティーンエイジャーと同じように、夜型人間は永遠に怠惰の烙印を押される宿命なのです（ティーンエイジャーの体内時計は少し遅く設定されているという研究結果がやっと周知されてきて、週末の早朝に親にベッドから追い出されるティーンエイジャーは減りつつあります。しかし始業時間を朝9時以降にした学校は、イギリスではまだわずか1％です。自分の若い頃を思い出しながら、思いを込めてこれを伝えています）。

いまなら私は、望めば朝寝坊できます。それでも、夫がよかれと思ってやってきて、朝9時というとんでもない時間にブラインドを開ける最悪のパターンもあります。ちなみにこれは週末の話です。でも、なぜ私はまた弁解しているのでしょう？　平日の朝9時にまだベッドの中にいたとして何か問題があるでしょうか。

私は月曜から金曜は8時45分には起きてベッドから出ています。でも朝食ミーティングは決して入れません。仕事の後なら喜んで会いますが、仕事前は必ずお断りしています。

しかし、単に「ごめんなさい、その時間はまだ休んでいるので」と言うのは、なぜかはばかられます。代わりに「早朝はあまり都合がよくないので」と伝えて、子どもの送迎に走り回っているか、文字どおり走っているなどと、解釈してもらえることを願っています。本当はまだベッドにいるのですが……。

もちろん、無理して早起きすることはできます。飛行機の時間があったり、時差のある国に住む人にラジオインタビューを行ったりなど、早起きせざるを得ないときです。でも、慣れるというのは幻想です。不自然や不健康だと感じるのです。

私は早朝を好きになるようにつくられてはいないのです。

私を援護してくれる研究結果もあります。夜型人間が親になり、赤ん坊が泣いたり、幼児がベッドの上で跳びはねたり、子どもを学校に送ったりを理由に早起きする生活を強いられても、解放された瞬間に夜型の生活に戻るのだそうです。何年も何十年も経ったとしても、最終的には自分の遺伝子型のとおりに落ち着くのです。

■ 忙しさはステータスである

私たちが休息する自由、とりわけ何もしないで過ごす自由を行使するかは、やるべきことがどのくらいあるかで決まります。**休息は仕事や忙しさの対極にある、と捉える人は多くいます。でも万国共通ではありません。**

休息調査では、イギリスとアメリカの回答者のほとんどが、休息は仕事の対極にあると回答しましたが、インドの回答者の57％は違う見方をしていました。仕事が大好きで、働くことで安らぎを感じ、充実感と活力を得て一日を終えている人たちなのかもしれません。

職場がどの程度お堅いかにもよりますが、たしかに職場でも安らげる瞬間はあります。**仮眠が生産性を上げるよいものである**ことを示すデータがあるにもかかわらず、流行の先端をいく広告代理店やＩＴ企業を除けば、仮眠を許したり仮眠場所を提供したりする企業はまだ少数派です。デスクに足を上げて休んだり、職場で居眠りしたりする（じっと考えるのさえも）のは、一般的には眉をひそめられる行為です。

それでも、職場でリラックスし、椅子の背にもたれて休み、楽しい時間を過ごす機会は意外にあります。

私が幼い頃、父親が指を骨折して職場から帰宅したことがあり、ひどく衝撃を受けたのを覚えています。骨折に驚いたのではなく、その経緯に対してです。デスク飛び越え大会をしていたというのですから。大人がそのようなことをするとは考えたこともありませんでした。

当時の父より年上になったいまの私なら、当然理解できます。どんな職業であれ、できるだけ楽しく過ごす工夫を誰もがしています。新聞記者は、1字目を大きな太いフォントにして、「編集長は○○だった……」という書き出しで同僚と記事を書き合って遊びます。どうぞ、お好きな言葉を入れてみてください。

一部の職業、たとえば医者が、リラックスするために職業上の制限にどう抗っているのかは、知らないままがよさそうです。でも、仕事はいつも必ず単調でつまらないわけではなく、仕事の真っ最中に休息になる瞬間が突然やってくることもあるのは事実です。余暇を楽しんでいるときに仕事のことが浮かぶ（メールの通知が現れて週末を台無しにされるなど）こともあるように。

何世紀ものあいだ、個人の裕福さを表す指標として、労働時間の短さがありました。簡単に言うと、**働く時間が短い人ほど裕福に見えた**のです。

経済学者ソースティン・ヴェブレンは、必死に労働する必要がなく資産と時間を持て余す階層を、「有閑階級」という言葉で表しました。裕福な産業資本家や、ロシアなどにいるオブローモフのような金持ちの地主が典型例でした。

裕福さの指標はいまでもある程度は真実です。ロンドン中心部のオフィスビルの清掃業者が生活のために何シフトか連続で勤務し、定年退職の見通しはない一方で、同じビルで働くトレーダー（相変わらずほとんどは男性）はゴルフ三昧の余生を過ごすために40歳で引退できるほど稼いでいます。

でも、ここに落とし穴があります。トレーダーにつきまとうイメージはさまざまですが、勤務時間の長さと激務ぶりは事実です。狂気じみて危険なほどに。なぜそこまでするのでしょう？　もちろん大金持ちになるためですが、それだけではありません。**長時間労働や多忙さはその人を重要な人物に見せる**、というのが現代のもうひとつの見方です。

コロンビアビジネススクールのシルヴィア・ベレッツァは、架空の女性サリー・フィッシャーがフェイスブックに投稿した内容を、被験者に評価させる実験を行いました。

「長い昼休みを満喫中」とか、金曜午後5時に「仕事終わった！」などと投稿するサリーと、「時間ないから10分でランチ」とか、金曜午後5時に「残業開始！」などと投稿する忙しいサリーの2パターンを用意しました。

被験者には、サリーの投稿の多さには目をつむってもらい、サリーの社会的地位を予測するよう指示を出しました。

すると予想どおり、忙しいサリーは社会的地位が高く、社会からの需要も高く、経済的な階層の一番上に君臨する人物として評価されました。腰を落ち着けてきちんと昼食をとる時間がないほど忙しいなら、とても重要な地位にあるに違いないという判断です。怠け者のサリーは階層の下のほうで苦しんでいるとみなされました。

物の価値が希少性で判断されることが多いように、人の能力も希少性で評価されやすい、とシルヴィア・ベレッツァは述べました。需要の高さとは希少性の高さであり、よって価値も高いとされます。そんなわけで、社会では忙しい人がより高い評価を受けます。

加えて、**忙しい人のほうが物事をより速く処理でき、マルチタスクに長けていて、より意義深い仕事に就いているという思い込みがある**、とベレッツァは示しました。

これを聞くと、ソーシャルメディアで忙しさ自慢が蔓延するのも納得です。

ベレッツァのチームは、いわゆる「自虐風自慢」を用いて自慢する行為（有名人もやります）についても調査しました。全体の12％が、自分がいかに忙しく仕事に追われているかを伝える内容でした。金持ちや有名人が自分の有閑ぶりを知られたがった時代は過ぎ去ったのだと結論づけられそうです。

ただし、これは万国共通ではないかもしれません。ベレッツァは、十分に努力すれば誰でも成功できるという考えをひたむきに信仰するアメリカの企業文化が、忙しさを社会的地位の高さと見るアメリカ人独特の気質をつくっているのではないか、と考えました。言い換えれば、アメリカンドリームという土台を持つのはアメリカ人限定なのかもしれないということです。

この仮説を検証するべく、ベレッツァはアメリカ人のグループとイタリア人のグループに、長時間労働を続ける35歳男性（アメリカ版はジョフ、イタリア版はジョバンニという名前）の話を聞かせました。

同時に、別のアメリカ人グループと別のイタリア人グループには、仕事にほとんど時間を割かないジョフ／ジョバンニの話を聞かせました。

予想どおりアメリカ人の被験者は、余暇の時間を長くとる人よりも長時間働く人のほうが高い地位にあると考えました。イタリア人の被験者は、長時間働く人は必要に駆られてそうしているのであり、余暇の多い人は裕福で成功しているからあまり働かなくていいのだと考えました。

どうやら、イタリアには「ドルチェヴィータ（自由気ままな生活）」の考えが生き残っているのです。私がイタリアを好きな理由のひとつです。

悲しいことに、イギリスでは近隣の国の洗練された考え方よりもアメリカのほうに近いようです。でも、忙しさが高い地位のしるしという考え方を別にしても、必要性が認識されてきた余暇の多い社会がいまだ実現していないことは明らかです。

2030年までに週15時間労働が標準となるというジョン・メイナード・ケインズの予想が実現すると思う人はいるのでしょうか？

なにしろ、休息調査の投資元でもあるウェルカムトラストが、本社スタッフ800人全員を週４日勤務にすることを「検討中」だと２０１９年１月に発表すると、あまりにもめずらしい事業方針としてニュース速報で報じられたくらいです。

もちろん、全体の仕事量をまず減らさなければ、同じ仕事量をこなすべく４日間休憩なしで働き詰めになる可能性もあります。やってみるまではわかりませんね。

うれしいことに、時間の使い方に関するアンケート調査を見ると、現代人は平均的には１９５０年代よりも自由時間を多く持っていることがわかりました。

ですが、なかなかそうは感じられません。かつてないほど忙しいように思えるのは、おそらく仕事と余暇の境界線が曖昧になっているせいでしょう。そう命じられたわけでもないのに常に待機しているような自分に気づく人もいるでしょう。

仕事が自由時間をしょっちゅう奪うわけでもないのです。単に、仕事が発生する可能性が常にあるのです。緊急かつ必須の用事など入らないであろうときにさえ、私たちは新着メッセージを気にして無意識に携帯電話をチェックしてしまいます。

その結果、土曜の深夜や日曜の早朝に仕事関係の新着メールを見つけ、画面を閉じて月曜の朝にまわすのではなく、その場で返信します。もし返信しなかったとしても、頭の中はすでにその仕事に占領されています。

これは先進国に限った話ではありません。低所得国でも、一般の人々にとって仕事と余暇の境界線は流動的になっているか、境界線がない場合もあります。

バングラデシュの田舎道で小さな果物屋台の番をする女性は、一日のほとんどを「働かず」に、休息しながら、ときに居眠りさえしながら過ごすこともあります。しかし退勤時間をタイムレコーダーで記録できるわけでもなく、いつ客が来て休息の邪魔をするかもわかりません。現代の技術先進国でも状況は同じで、チャットやメールがいつでも休息の邪魔をしうる状態です。ある種の公平さはありますが、もっとほかに平等を目指すべきところがあるでしょう。

裕福だろうが貧しかろうが、高所得国にいようが低所得国にいようが、働いていないときでさえ、人間は仕事から完全に離れることができずに苦労しています。

■ 休憩はできるだけ多くとる

一部では「アテンション・エコノミー」とも呼ばれる現代社会では、企業は人々の注目をいかに長く集めていられるかを競い合っています。私たち消費者は携帯電話を常にチェックして、企業の望みどおりに注目します。

私たちにとってこれは仕事でしょうか、余暇でしょうか。そう、これもスタンバイ状態の延長線上にあります。厳密には仕事をしていなくても、どちらもいまする必要はないのに、ガス料金の請求書を読んでいたりオンラインショッピングの明細を見ていたりする自分に気がつきます。

情報を浴びせられ、ＴｏＤｏリストのタスクに常にせっつかれるうちに、パーティーの招待状に返信したり休日にどこへ行こうか考えたりするのさえ事務処理のように思えてきます。自由に使えるはずの時間がタスクにじわじわと侵食されて、「何もしない」時間はいっそう希少なものになっています。

ひとつのプロジェクトに真剣に取り組むとき、それが任意の活動や余暇活動だとしても、やるべきことがひとつ終わるまでは「休憩しない」人が多いでしょう。**休憩は必須だと誰もが知っているのに、どういうわけか休憩をオプション品のようにみなします。**これは現代に限った現象ではありません。

歴史学者マイク・グリーニーは、少なくとも西洋では、宗教教育が何世紀にもわたり労働倫理の大切さを強調してきたこと、現世で怠けると来世で罰を与えられると人々をおびえさせてきたことを指摘しています。

しかしいまは永遠の地獄行きを信じる人は少ないうえ、怠惰は悪だと説教するかつての聖職者は、労働者を休みなく働かせて私腹を肥やそうとした領主や工場主と結託していたこともわかっています。現代の私たちには、だらけたいという正直な気持ちを受け入れる自由があるはずです。

アテンション・エコノミーからの要求さえなければ。この圧力に打ち勝つには、もっと自発的に怠惰になるべきだとグリーニーは主張しています。私たちが「アテンション・エコノミーの産物」になりたくないならば、「怠惰を避けるわけにはいかない」のだと。

ただ、その段階に達するにはまだまだ時間がかかりそうです。**いまのところ、休息とはひ弱な人がとるものです**から。

特にアメリカは休暇の少なさで有名です。新入社員に与えられる有給休暇は年平均10日で、勤続5年目になっても15日に増えるだけ。それどころか、無数の世論調査（皮肉なことに必ず旅行代理店がスポンサーに入っています）が、与えられた休暇を消化しきらないアメリカ人が多いことを明らかにしています。

ひどい話ですが、アメリカでは被雇用者の74％しか有給休暇の資格を与えられていません。アメリカで働くと休暇の少なさに苦労するに違いない、休暇大好き人間の私としては、驚きと興味の入り交じった気持ちです。アメリカの被雇用者は、ほかの高所得国と比べて非常に休暇が少ないことを知りながら、なぜ大規模な改革運動を起こさないのでしょう。ヨーロッパの年平均25日程度の有給休暇取得を目指して運動を起こせば、被雇用者の大きな支持を得て、企業や政治家も無視できないだろう、と思いませんか？

しかし、現実には最低限の有給休暇取得要求運動すら、たいした支持を得られないのです。hotels.com がすべての企業に有給休暇の認可を求める「Vacation Equality Project（休暇均等化プロジェクト）」に着手したとき、ホワイトハウスに請願書を出すためにはわずか10万人分の署名が必要でした。2週間後、どのくらいの署名が集まったと思いますか？　たった1万

3000人分でした。

アメリカでは休暇不足は差し迫った問題ではないというのなら、問題にすべきです。GDPから医療に割く予算の割合は高いにもかかわらず、アメリカの平均寿命はほかの高所得国と比べると低めです。これから見ていきますが、**休暇は長生きのいち要因となりうるのです。**

この主張を裏付ける最大の論拠についてまずは説明したいので、少しだけお付き合いください。疫学の分野で何かを証明するには、莫大な人数のサンプルを用意して、それを長期間追う必要があります。ティモ・ストランドバーグ教授は、ヘルシンキで働く男性を対象にした独創的な実験でこれを実行しました。

1970年代に、平均より高い心臓病リスクを抱える1920〜30年代生まれの男性1000人以上が集められました。

被験者の半分は、5年の実験期間のあいだは4ヵ月に一度研究チームを訪ね、健康への細かなアドバイスを受けるよう指示されました。喫煙習慣を注意されたり、健康的な食生活や定期的な運動のメリットを長々と説かれたりしたようです。残り半分の被験者はそのようなアドバイスはいっさい受けませんでした。

40年間追うあいだに両方のグループで何人ずつかは亡くなりました。これは予想の範囲内です。しかし、平均的にどちらのグループがより長生きしたと思いますか？　当然、健康的な生活を送るグループですよね。

結果は違いました。実は、**健康促進のアドバイスを得たグループのほうが平均死去年齢が低かったのです。**

想像どおり、これは健康業界に驚きと不安を巻き起こしました。長生きのための健康アドバイスが、どうやら逆の効果をもたらしているようでした。

ストランドバーグは、もっと健康的な生活をしなければならないというプレッシャーが、健康アドバイスを受けたグループの一部に深刻なストレスを与えたと結論づけました。

これだけでも興味深いですが、この研究を私が紹介したかった理由はほかにあります。

まず、健康的な生活のアドバイスを受けなかったグループでは、とった休暇の日数は寿命にめぼしい影響を与えませんでした。

一方で、アドバイスを受けたグループでは、休暇の長さが寿命を大きく左右しました。年間の休暇が合計3週間未満の被験者は、合計3週間以上の休暇をとった被験者と比べると、70～85歳になる2004年までに亡くなる確率が37％も高かったのです。

これが休暇のよさを示す明確な証拠と言えないことは認めます。でも、休みを心底必要としていた被験者の命を休暇が救っていた可能性はあります。

もうひとつ、休暇が寿命に与える影響を調べた2000年の研究があります。冠動脈性疾患のリスクを抱える中年男性9000人をたった9年間追跡しただけでも、休暇をとらない人の死亡リスクが上がることが明確に確認できました。

この二つの研究はいずれも、私たちが直観的に確信している「休暇にはメリットがある」という考えをある程度裏付けてくれます。

もちろん、休暇中に何もしない時間をどの程度持てるかは、また別の問題です。年次休暇にたくさんのイベントを詰め込む人もいれば、プールでゆっくりと過ごす人もいますから。

真の休息であろうが、休息になる活動であろうが、古くから言われてきたように休暇は人をリフレッシュさせ回復させて、健康を保ってくれます。ストランドバーグもそう考えていると断言できます。

２０１８年にストランドバーグがこの研究結果を医学学会で初めて発表したとき、グラフとデータが並ぶスライドの最後を、海に沈む夕陽の写真で締めくくりました。そして学会の出席者に、これは休暇中に私がサウナから見た景色です、と伝えました。

というわけで、**どんな仕事に就いているとしても、できるだけ多く休暇をとる努力をしましょう。休暇はよいものなのです。休憩だってそうです。**

このあたりでぜひご自由に紅茶でも淹れてきてください。読書は安らげる活動のひとつとはいえ、ときどき読むのを休んでも何も損はありません。

紅茶、コーヒー、マテ茶など種類はいろいろでしょうが、休憩として一日に何度か口にする飲み物が、たいていどの国にもあります。誰かを誘って一緒に飲むこともあるでしょう。お茶休憩はいったん手を止める許しを与え、一日を区切り、最後までやりぬく手助けをしてくれます。

最も効果的な休憩は、違う場所や外に移動する、違うことをしてみるなど、場所や景色の変化をともなうものです。もしくは特に何もしないことです。人は本能的に休憩を求めているうえ、休憩後のほうがよりよい働きをできることが豊富なデータで示されてもいます。

休憩は私たちを身体的にも精神的にも回復させ、再び動き出せるように力を満たすのです。スポーツ選手は過度なトレーニングをしないよう気をつけています。回復を重視し、毎日朝から晩まで鍛えはしません。怪我の後は特にそうですが、休息も予定に組み込みます。

でも、一般人にはそうする習慣があまりありません。休憩をとってもだいたいが無計画で、忙しいときには昼休みすらとらずに働きつづけることもよくあります。プロスポーツ界以外で中断時間を計画的にとる人がいるでしょうか？　きっととるべきなのに。

休憩は大切だと誰もが知っています。にもかかわらず、休憩が一番必要な繁忙期こそ、締め切りを考えると一瞬たりとも手を止めるわけにはいきません。ただ突き進みます。

でも、**休憩は長々ととる必要はないのです。**オフィスで椅子の背にもたれて数秒間目を閉じるだけ、誰かのジョークに口を挟むだけ、もっと純粋なやり方ならただ窓の外を眺めるだけでも、小休憩になります。仕事や雑務以外のものなら何でも。

自分の気力を回復させるために誰もが無意識に小休憩をとっていると、複数の研究結果が示しています。小休憩は効果的です。小休憩をとってから1時間以上、小休憩前よりも高いエネルギーを保っていられます。

韓国で行われたある調査が、小休憩の過ごし方についてヒントをくれています。被験者となった事務職員に、ある日の昼休みから10日間日記をつけてもらいました。まず、昼休み時点での気分と午後の仕事への意気込みについて記します。その後、午後に何度か取る短い休憩中にも日記をつけ、一日の終わりにもそのときの気分を記します。

小休憩をとった被験者は一日をよい気分で終える人が多く、特に効果の高い休憩中の活動も明らかになりました。窓の外を眺める、ストレッチをする、温かい飲み物を飲む、音楽を聴くなどが、読書やネットサーフィンよりも効果が高かったそうです。そして忙しい日ほど、小休憩がその人の気分に与える好影響は大きいことがわかりました。

もちろん、こうした自由な行動がどの職場でも許されるわけではありません。上司が出勤すると職員の半分がお喋りをしていて、コーヒーを淹れている人や窓の外を眺めている人も大勢いる状況は、好ましくないかもしれません。

ですが、賢くて情報通な企業は、中断時間こそが従業員だけでなく会社の利益にとっても不可欠であることに気づきはじめています。**生産性向上のカギは、常にせっせと仕事をこなすことではなく、集中力と創造性を高めること。まさに休憩が必要とされています。**

よく引用される研究結果のひとつに、休憩のない時間が長く続けば続くほど裁判官の仮釈放許可の判断が厳しくなるというものがあります。ただし、研究結果の再分析により、別の要因も考えられると指摘されてもいます。仮釈放するかの決定は比較的短時間で終わるため、裁判官が予定を調整して開廷時間の終わり頃にねじ込んでいる可能性があるということです。

真実は誰にも証明できませんが、人は十分に休息をとってこそ最善の判断ができ、多くをやり遂げられると示したデータはほかにもたくさんあります。たとえば、試験を考えてみましょう。２００万枚以上の試験答案を調べたデンマークの調査によると、休み時間の後に試験を受けた生徒のほうがよい成績を残しています。

学生は休憩をとるタイミングを自分で選べません。大人でも時折そうですが、もし自分で選べたとしても、人は休憩に最適なタイミングを選ぶのがあまり上手ではありません。

ドイツの研究者によると、疲れたときや苦闘しているときではなく、仕事をやり終えたときにご褒美として休憩をとる人がとても多いとのことです。

自分自身をよく理解している大人は、先送りにしがちな癖をどうにかしなくてはと、仕事を推し進めます。しかし、**やるべきことを終えるまで休まないというご立派な行為のかたわら、何もしない時間が持つメリットを逃している**のです。半分やり終えたところで2分間休憩するだけで、仕事の質も自分の気分もがらりと変えられるのに。

もし2分間すらとれないなら、2019年の研究によれば**10秒間手を止めるだけでも有効です**。ピアノを弾くように4本の指を決められた順に動かすタスクで、被験者の出来がよくなったそうです。

休息のことを、私たちはもっと真面目に考えるべきなのです。仕事中に小休憩すらとれないと、ストレスが積もりはじめます。

ドイツとオランダで実施された調査によると、「仕事を終えて帰宅したら、しばらくのあいだは一人でそっとしておいてほしい」「帰宅してすぐにほかの人の話に関心を持つのは難しい」などの項目に「強くそう思う」と回答するのは、慢性的な疲労と心身の不健康を警告するサインです。

この項目に当てはまるなら、勤務中にもっと休憩を取り入れる方法を真剣に考える必要があります。もしどうしても難しいなら、帰宅後にもっと休むべきでしょう。なお、この場合には、気分転換よりも休息のほうが効果的です。真の休息が必要です。

ストレスが溜まった一日の終わりに回復を一番早めてくれるのは、家事や育児ではなくソファーに寝そべるなどの労力のいらない行為だと研究結果が示しています。これもまた「No Shit, Sherlock（いやいや当たり前だろう）」という類いの結果ですが、**ときには何もしないで過ごす時間が本当に必要**であることを思い出させてくれます。

■ 漸進的筋弛緩法でリラックスする

21世紀に健康維持への意識が高まりはじめるよりもずっと前から、何の活動もせずにしっかりとくつろぐことは身体によいという考えはありました。

1930年代といえば、質素な生活と重労働が主なイメージですが、大恐慌の影響を最も大きく受けた都市、シカゴに住むある精神科医は、何もしないことがもたらす重要な科学的メリットを早くから指摘していました。

その医師、エドモンド・ジェイコブソンは、**漸進的筋弛緩法**というリラクゼーション法を開発したことで有名になりました。夜の寝付きをよくする目的で試したことのある人もいるかもしれません。

この本でもすでに紹介していますが、「ボディスキャン」と呼ばれることも多く、ヨガからマインドフルネスまでの幅広いクラスで取り入れられている方法です。

まずは、床に仰向けになります。つま先か頭のてっぺんを起点とし、そこから徐々に上または下へと身体中を精査していきます。一つひとつの部位の筋肉に順に力を入れては緩めます。やがて、心も身体もリラックスした状態になります。

ジェイコブソンがリラクゼーション法に興味を抱いたきっかけは、リラックスとは逆のものに魅了されたことでした。驚愕反応です。

19世紀末に育ったジェイコブソンは10歳のとき、父親が経営するホテルの火事を目撃して恐ろしい思いをしました。三人の死者のうち一人はジェイコブソンも知る男性で、5階の窓枠にぶら下がっていましたが指の力が尽きて落下し、死亡しました。

ジェイコブソンは老年になって書いた記事で、当時のことをこう記しています。「火事を見ていたたくさんの人たちが、そわそわと不安げながらも興奮している様子を見てぞっとしました」。

このトラウマになった出来事で、両親や周囲の人々の反応にあまりに心を奪われたジェイコブソンは、大学で研究を始め、最初に取り組んだのが驚愕反応の検証でした。研究室に招いた参加者を大きな破裂音で驚かせ、その反応を観察するなどの実験を行いました。

やがて、音を鳴らす前に筋肉をリラックスさせる方法を教えると、被験者の驚愕反応が鈍ることを発見しました。同じリラックス方法がほかの状況でも効果を生むのを確認し、1924年に漸進的筋弛緩法を発表するに至ったのです。

ジェイコブソンは、当初は自分の編み出した方法に対して少し懐疑的だった、と振り返っています。「30年前、さまざまな疾患に悩む患者たちをリラックスさせようと病室を渡り歩きながら、こうつぶやいていました。『どれだけ馬鹿馬鹿しいことを私はやっているんだ?』」。

それでもデータは、その方法が人の役に立っていると証明していました。ジェイコブソンは徐々に自信をつけ、自分は重要なことに取り組んでいると確信しました。効果は非常にわかりやすく、ジェイコブソンの妻は鎮痛剤なしに、また痛みで叫ぶこともなく出産を終えたそうです。

歴史学者のエイーシャ・ネイスーによれば、ジェイコブソンは、この研究が医学の領域に該当すると同業者から認められることを切望していました。ベッドでの療養が当時の主流だったなかで、筋弛緩法は週1回のレッスンと毎日1〜2時間の自宅練習により身につけられるスキルだと主張して、自分の両親にも協力を仰ぎました。生理学的に検証され、患者が完全に自分一人で行うことができる、本格的な休息の要素がある方式と言えます。

医療研究者に注目されるだけでなく、一般人にもこれを広めたいと願ったジェイコブソンは、力を抜いているとは到底言えない強い口調がタイトルの人気書籍『You Must Relax!（力を抜け！）』を執筆するに至りました。

十分に訓練を受ければ、誰もが「無理をして精力を使い果たすことなくいまを」楽しめる。いまも彼は、リラクゼーションの領域で最重要人物として認められています。

ところで、このリラクゼーション法のあいだは果たして何もしていないと言えるのでしょうか？　端的に言えば、**漸進的筋弛緩法とは、技術的な細かい指示を聞いたり絶えず集中したりする必要はあるものの、ほぼ何もしないで過ごす治療法です。**

ジェイコブソンと支持者たちは、賢い「言い換え」にも長けていたのでしょう。患者としては、医学的に証明されたテクニックを介して「何もしない」時間を過ごすほうが、受け入れやすいのです。何もしない技術を学び、訓練を受けることは、皮肉にも「何かをしている」のですから。医者に指示されてそうするならば、気持ちはずっと楽なのです。

■ よい退屈と悪い退屈が存在する

ただ椅子に座って本当に何もしないのは、大きな苦痛です。あなたは耐えられると思いますか？

「人類の問題はすべて、部屋に一人でじっと座っていられないことから生じる」とおよそ350年前に書いたのは、フランスの哲学者パスカルです。「第３位　一人になる」や「第８位　空想にふける」の章の内容にも通じる言葉です。

人は気晴らしをなくすことを恐れている、なぜならあとに残された思考に向き合わねばならなくなるから、とパスカルは続けています。「第10位　マインドフルネス」の章にも通じますね。マインドフルネスは、じっとして自分の思考を見つめ、それが自己非難の内容だったとしてもただ受け入れなくてはならない活動です。

このように考えると、パスカルは人間が休むことに関して抱く根深い抵抗感を、誰よりも深く追究した人物だったように感じます。休む時間の確保や、気が散らないようにするのが難しいというだけでなく、**休むこと自体を恐れている**という事実を。

実験で、何もない部屋に一人きりで15分間ただ座っているように指示されたとします。あなたなら何をしますか？

携帯電話に手を伸ばしますか？　だめです、実験が終わるまでは携帯電話は没収されています。本や新聞を開きますか？　これも禁止されています。紙とペンを取り出してToDoリストをつくりますか？　これもだめです。部屋の中をうろつきますか？　腕立て伏せでもします？　だめです、椅子に座っていなければならないルールです。腕を組んでこの際昼寝をしておきますか？　いいえ、これもルールで決められています。起きていなければなりません。

そうなると、残された唯一の娯楽は自分の思考です。２０１４年に、何もない部屋でこうして行われた複数の心理学実験の結果が発表され、パスカルは正しかったことがわかりました。人間はその環境をちっとも好きではなかったのです。

11種類あった実験のなかで、特に世界的に知れ渡ったものがあります。

被験者は足首に電極を付け、家具も娯楽も何もない部屋に一人ずつ入れられます。コンピューターのキーを押すと自分に電気ショックが流れると教わり、一度体験します。電極を付けたまま、「何でも好きなことを考えていい」と言われて15分間部屋の中に残されます。それと、もしそうしたければ好きなだけ電気ショックを流してもいい、とも言われます。

この実験があまりにも有名になった衝撃的な事実はここからです。ある被験者は１９０回も自分に電気ショックを与えたのです。単なるマゾヒストでしょうか？　いいえ、男性の71％が少なくとも一度は自分に電気ショックを与え、自身に痛みを与える傾向の低い女性ですら４人に１人が電気ショックを使いました。

人は自分の思考だけとともに15分間を過ごすことが苦痛なあまり、何もしないよりは痛みを被るほうを好むことがわかりました。

考慮しておくべき点もあります。この実験の被験者数が少ないことです。個人的には、好奇心が理由の人もいたのではないかと思います。

２回目の電気ショックで感じる痛みも、１回目と同程度なのでしょうか？「熱いですよ」と店員から忠告されたばかりなのにその皿に触れたいという、似たような衝動に私たちだって従ってしまいます。人は物事を理解したいのです。

そう遠くない昔にキャンプに行ったとき、私は焚き火を囲む鉄製の土台の側面に10本の指すべてで触れました。どのくらい熱いのか確かめたいという強すぎる衝動を感じたのです。ものすごく熱く、指先全部に火傷を負い、ひどく痛い思いをしました。

さきほどの実験でも、人間の支配欲求が顔を出したのでしょう。被験者が持ちうる選択肢はほぼすべて取り除かれ、唯一自分で支配できるのは、電気ショックをもう一度流すかどうかの判断のみです。ならばその選択肢をとって、自分が物事を支配する感覚を少し強く感じたっていいではありませんか。

だとしても、この有名な実験の結果はやはり興味深く、**何もするなと強制されるとなおさらそれが難しい**ことを、どの研究よりも強烈に証明しています。

強制されたとたんに一人の時間が孤独に変わるのと同じで、**何もしない時間が休息になるのは、何もしないことを自分で選んだときのみです。**

強制された休息は耐えがたい退屈さを生むことがあると、19世紀にたくさんの患者が体感しました。

当時、「完全なる休息と大量の食事」の組み合わせが精神的な消耗状態を改善する、と信じたアメリカの医師サイラス・ウィアー・ミッチェルが、「安静療法」を発明しました。それは「医学界が誇る19世紀末最大の進歩」と呼ばれましたが、とりわけ女性を虐げたその実践方法がしっかりと記録に残っています。

ベッドに監禁し、大量の食事を拒否する人には無理やり食べさせ、読書や縫い物、ときには寝返りさえも医師の許可なしに行うことを許しませんでした。

シャーロット・パーキンス・ギルマンの短編小説「黄色い壁紙」（『淑やかな悪夢　英米女流怪談集』（東京創元社、２０００年）に収録）は、著者が産後うつの間に受けた安静療法の経験をもとにしています。

ギルマンは細かい部分に脚色はあると認めつつ、いっさい何もしない日々について、「精神的な辛さに耐えがたくなり、私はぼんやりと座ってただ首を横に振っていた」と書きました。

安静療法を終えると、ミッチェル医師は「知的生活」を一日2時間にとどめ、「今後一生ペン、筆、鉛筆に触れない」よう助言したそうです。幸い、文学は特に制限されなかったようです。

休息調査の結果からは、**人が楽しんで休める時間には限度があり、それを超えるとかえって疲れる**ことが予測できます。前日の休息時間に比例して幸福度のスコアは上がりますが、6時間を超えると下降しはじめます。どうやら退屈せずにいられる適切な休息量があるのです。

一般的な日常生活では、長時間何もせずに退屈する機会はそうそうないようです。

２０１７年のアメリカの研究では、４０００人近くの成人を対象に、30分ごとに音が鳴り、いま何をしてどう感じているかを尋ねるアプリを1週間使用してもらいました。

1週間後、研究チームは合計１００万件以上の観測結果と、人が何もしていない瞬間に心のうちではどう感じているのかを突き止めるチャンスを得ました。結果、音が鳴った時に何もしていなかった被験者のうち、退屈さを感じると答えたケースは6％にも満たなかったのです。

これは前向きな発見のように見えます。退屈は命取りですから。しかし実は、退屈にはよい面もあります。人間が新しい何かを見つけるきっかけとなるのです。何しろ、このような好奇心（熱々の皿に触れたり自分に電気ショックを流したりすることへの誘惑も）こそが、人間が種として成功するカギとなってきたのです。

だからこそ、退屈さを感じる可能性の高い「何もしない」ときに、新しいアイデアが生まれやすいのでしょう。

「第8位　空想にふける」で見てきたように、まず思考が移ろい、異なる考え同士を結びつけはじめ、やがて運がよければ新しい何かを考えつきます。

世界トップクラスの創造性を持つ人々は、何もしない時間をうまく使ってきました。レオナルド・ダ・ヴィンチは、壁のまだら模様や湿った染みから人の顔や動きが浮き上がって見えるようになるまでただぼんやりと壁を眺めなさい、と弟子に教えました。短編小説「壁の汚点」（『世界短篇文学全集01　イギリス文学19・20世紀』（集英社、1963年）に収録）で、しっくいの壁についた謎めいた大きな黒い染みを見つめて思考をさまよわせるさまを描いたヴァージニア・ウルフは、もしかするとダ・ヴィンチの話を知っていたのでしょうか。

心理学者サンディ・マンは、退屈が創造性に与える影響を確かめる実験を行いました。被験者に命じられたのは、サンディが考えたなかで最高につまらない、電話帳の番号を書き写す作業でした。

被験者は書き写し作業を終えると、プラスチックカップの活用法をできる限り多く考えます（アイスキャンデーの型、植木鉢、シャンデリアなど思いつくもの何でも）。これはスタンフォード大学の歩く実験でも使われた、拡散的創造性を測るテストです。

実験の結果、最初に退屈な番号書き写し作業を強制されたグループは、はじめからプラスチックカップのタスクを行ったグループと比べて、カップの使い道を非常に多く思いつきました。

より大きく言えば、何もしない時間が人に内省を促し、または強制して、自分が人生から何を得たいのか、どんな意味を見出したいのかを探らせるのです。

そしてサンディ・マンによれば、**退屈に効く根本的な特効薬となりうるのは、楽しさよりもやりがいです。**少しの退屈さが、人の心を新しいものに向け、ゆくゆくは長期的な退屈の予防に繋がります。

それでもやっぱり、何もしないのは甘えだと感じてしまうのであれば、記憶力にもたらすよい効果を思い出しましょう。

学習後にしっかりと睡眠をとると、翌日に覚えたままでいられる可能性が高まることが、ここ20年間の研究で証明されています。睡眠と、おそらく夢を見ることが、私たちの記憶を整理して、よりしっかりと頭の中に埋め込んでくれるのです。

また、少し前で述べましたが、ときどき休憩をとるほうが、仕事や勉強がいっそう捗(はかど)ることもわかっています。近年の研究はこの二つの考えをうまく統合していますが、休息ではなく睡眠にフォーカスするのが主流です。

脳卒中の後遺症として健忘症を患う人々に、15個の単語が書かれたリストを渡して記憶力を試した実験があります。被験者たちは記憶した後に別の頭の体操を10分間行い、それからさきほどの単語をできる限り多く思い出すテストを受けます。

健忘症があるため、正答率は平均14%に留まります。しかし頭の体操の代わりに薄暗い部屋に10分間座ると、その後のテストの結果はなんと49%に上がりました。

この方法は中期のアルツハイマー患者に効果的だということを、ヘリオット・ワット大学のミカエラ・デュワーが後に発見しました。なお、健康な人の場合は、このよい効果は1週間続きました。

新しくつくられた記憶というのは実はとてもはかなく、覚えてすぐに休息をとって何もしない時間をつくることで定着しやすくなります。デュワーの最新の研究結果は、何もしないことを支持する人にはいっそううれしいものでした。

まずは、パズルをどうぞ。次の文字が表している有名なフレーズまたはことわざとは何でしょう？　1問目「AWTEW」、2問目「ABITHIWTITB」［答えは、1問目が「all's well that ends well（終わりよければすべてよし）」、2問目が「a bird in the hand is worth two in the bush（掌中の一羽は叢中の二羽に値する）」］。

自信のある答えを導き出せた人は、そこにどのようにたどり着き、どのくらいの時間を要しましたか？　悩んだ時間の長さに関係なく、答えが下りてくるときは突然だったのではないでしょうか。これが心理学研究の範疇では直観として知られている、ひらめきの瞬間です。

ひらめきの瞬間を誘発する方法のひとつを、クロスワードに行き詰まった人がやりがちであることに私は気づきました。数時間パズルを放置するのです。パズルに戻ったとき、悩んでいたカギへの答えが簡単に思い浮かぶことが多いのです。まるで意識的にほかのことをしているあいだに脳が無意識にパズルを熟考していたかのように。

問題は、パズルを離れた時間に何をすると一番いいのかという点です。デュワーの実験結果によれば、何もしないことです。パズルを解く参加者のうち、途中で10分間何もしない休憩をとったグループは、10分間簡単な間違い探しゲームをさせられたグループよりも、休憩後にパズルの正答をひらめく確率が高かったそうです。

■（ほとんど）何もしない方法

哲学者のセネカもソクラテスも、放浪の旅を愛する人は本当は現実逃避したいのであって、仕方なく自分の身体を旅行に連れて行くだけなのではないか、と懸念していました。

ソクラテスはこう書き残しています。「せっかく自分を連れて行くなら、楽しい観光の旅にすればいいのに、彼らはあえて放浪を選ぶ。放浪したくなるのは、常に追い立てられているからなのだろう」。

たしかに、家を離れたからといって心配事がすぐに消えるわけではありません。心に急に平穏が訪れるわけでもありません。どの国へ行ったとしても自分は自分なので、心の中の疑念は残ったまま。まだ暗いうちに火山に登って火口から昇る朝日を眺めることはできますが、どれだけ現実離れした唯一無二の体験をしたと思っても、頭の中には変わらず自分の世界があるのです。

セネカとソクラテスは正しいですが、私たちが旅に出るとき、自分を連れてはいくものの、多くを置いていきます。ここに見過ごされがちな旅の長所があります。旅は何もしないことを許可してくれるのです。

外国のホテルの部屋にいるときに手元にあるのは、スーツケースひとつとせいぜいバックパックひとつです。詰め込める量には限りがあります。

自宅にいると、タスクに取り囲まれます。

ハンガーに掛けてもらえるのを待っているアイロン済みの服の山、接着剤で修理が必要な割れた皿、壁に取りつけなければならないフック、店に返品する必要のある商品。なかには目に見えないのに注意を払わなければならないものまであります。料金を払い過ぎているなら電力会社を替えるべきかも、自分の年金基金の状況を確認しとかなきゃなど、考え事はつきまといます。

これらは「ライフアドミン（生活管理）」と呼ばれ、日常のやっかいもののひとつです。でも旅行に出るなり、その大半から解放されます。そのときだけは、ふやけるまで風呂に浸かってもいいし、ベッドに転がって本を読んだり、外を眺めたり、何もしなくたっていいのです。

家にいると、ベッドに寝転がって何もしないことが許されるのは、病気のときだけです。「旅行先だから何もしなくていい時間」を家でも再現できないかと私は考えてきました。でもだいたいの場合、うまくいきません。どうしても終わらせなければならないタスクがあるのです。食事をつくり、子どもを寝かせなくてはなりません。

忙しい毎日に時折何もしない休息時間を挟み込むよい方法はあるのでしょうか？　たとえばもし土曜の夜に出かけるなら、その前に優美な2時間を自分に与えてみるのはどうでしょう。パーティーに行く準備を終えたうえで、ベッドに寝転んでみるのは？

それでもやはり、絶対に済ませなければならない身の回りの雑務が邪魔をするでしょう。そこから逃げて直接「いっさい何もしない」に飛び込むのは、飛躍しすぎているのです。

もしかすると、これが家で何もしないのが難しい理由で、休息調査の参加者の多くが「何もしない」よりもずっと安らげる活動があると思っている理由なのかもしれません。**テレビを見たり読書したりするときは少なくとも何かをしていると感じられ、ほかのやるべきことに対する罪悪感は薄まります。**

結局、ToDoリストを消し去ることも、全タスクを完了することもできはしません。リストに書かれたことすべてをやり終えた瞬間に、次のタスクが現れるのですから。

これこそが人生であり、そこから逃れる術はありません。ミレニアル世代はこれを「大人化」と呼んで、何かを悟っているようです。

大人になるために、この終わりの来ない活動に加わるのだと思えば、安心できるのかもしれません。

つまり、現代社会では、常に多くをこなしつづけることだと受け入れるのが、大人への第一歩なのです。疲弊しきらないよう、自分を立ち止まらせてやる手段を探さなくてはなりません。絶対にやらなければというプレッシャーから自分を解放する手段を。

それが旅行である必要はありません。もう少し家から近い場所で、ＴｏＤｏリストから逃れてほとんど何もしない状態に身を置くことはできます。

多くの人が電車に揺られることを安らぎと感じる理由が、ここにあるように私は思います。もちろん移動で疲れる可能性はありますが、少なくとも移動中はすべきことを脇によけておけます。電話やメールが来るかもしれませんが、トンネルに入ってしまえばそれも遮断されます。

毎日の通勤電車では、新しい時刻表に対応し、ストライキや遅れに耐えなければなりません。乗客に詰めてもらえるようお願いしてやっとドアの縁に足を乗せ、ドアが閉まると同時に身体を何とか押し込めるくらい混み合った電車に乗る必要もあるとしたら、到底安らげるものではありません。

でも、十分にスペースのある電車で長旅をするならば、汗をかくことなしに田舎へと運ばれるあいだ、休息はきっとあなたのものです。

電車の動きがあまりに眠気を誘うので起きているのが難しい、と言う人もいます。私も電車ではとてもよく眠れるので、夜眠れない日があると電車に乗っている想像をしてみることがあります。

イギリスの物理学者サー・アルフレッド・ヤーロウも同じことを感じていました。１９２７年に国立物理学研究所に対して、毎秒80回振動するベッド、それも吐き気をもよおさぬよう不規則に揺れるものをつくってほしいと依頼したのです。

チューリッヒのある研究所も似たような取り組みとして、ベッドをさまざまなパターンで振動させる実験を行いましたが、モーターの音がうるさすぎるのでモーターだけ別の部屋に置かざるをえないなどの課題にぶつかりました。ここまで見てきたとおり、睡眠を何もしないことに含めるのは正しくないのですが。

何もしないことを探求する話から、近年の「スロー」ブームを思い出す人もいるかもしれません。ローマのスペイン広場の隣にマクドナルドが開店したことへの抗議として、スローフードに戻る運動が起きたのがことの発端です。以来、ファッションから大学院生活まで、たくさんのものに「スロー」という言葉が付くようになりました。

スローファッションは、スカート丈の流行りが変わったときではなく、本当に必要なときにだけ新しい服を買うよう推奨しています。

アメリカでスローな大学院生活を推奨する活動では、肩の力を抜き、「めちゃくちゃ忙しい」というアピールをやめ、何かをするよりも「存在する」ほうに時間を割くよう促しています。考える、空想にふける、居眠りする、ペットと遊ぶ、自然のなかを散歩するなどはどれも容認されています。

ここからひとつ学びを得られます。スローな大学院生活で「存在する」ために推奨される活動のほぼすべてで、多少は何かをしています。

この章の冒頭で述べたことにほぼ戻りますね。**些細なことでいいので何かしら行うのが、どうやら重要なのです。罪悪感を抱かずに休息をとれます**から。

宙を見つめて休むよりも、編み物をしたり雑誌をめくったりするほうが許されるような気がします。

ならば、それに抗う必要はあるでしょうか。流れに身を委ねたらいいのではないでしょうか。何もしないよう頑張るのではなく、代わりにちょっとしたことをするのです。**のんびり過ごす**、と表現してもいいでしょう。

1958年に『How to Do Nothing with Nobody All Alone by Yourself（一人きりで特に何にもしない方法）』と題した本が出版されました。

一人で何かをすることで自分自身について学べると考えていた著者ロバート・ポール・スミ

スは、子ども向けにこの本を執筆しました。

家の周りにあるものや、ときには道に落ちている壊れた傘（これを凧にします）を使って、子どもが一人で楽しく遊ぶ方法をたっぷりと紹介しています。座って考えを巡らせる時間も称賛していますが、どちらかというと一人遊びについて書かれた本です。

これに時間を割くよい口実を思いつけたら私も試してみたいと思うような、アイデアがたくさん載っています。

たとえば、六角形の鉛筆でする遊びです（よくある黒と赤の縦縞の鉛筆できれいにできそうだとイメージしています）。小型ナイフを使って、鉛筆の側面に5ミリ四方の正方形を1ヵ所削り取ります。次に、すぐ隣の面に正方形1個分下がったところを、同様に正方形に削り取ります。

これを100回くらい繰り返すと、チェック模様の鉛筆ができあがります。意味はないけれど魅力的で、きっと妙にやりがいがあるのではないでしょうか。

これは、厳密に言えば何もしていないわけではなく物を装飾しているのだから、おかしいではないか、と思う方もいるでしょう。

でも、性格にもよります。鉛筆を削って得られるものと、椅子に座って宙を見つめて得られるものはかなり近い可能性もあります。大人がジグソーパズルや、最近では塗り絵にハマるのは、こういうわけなのでしょう。

編み物などの手芸（私の場合はかぎ針編み）が高い人気を保っている裏にもこの理由がある

と私は思っています。十分に練習を重ねてあまり考えなくとも編めるくらいになれば、手は忙しく動いていても頭の中は好きな場所をさまよえます。

ここでも、自分に休息する許可をあげているのです。**何もしていなくはないけれど、ほぼ何もしていません。**

とはいえやっぱり私は、**もっと多くの人がもっと長い時間、純粋に何もしないことを心がけるべきだ**と思っています。そうするだけの価値があるのですから。

アルベール・カミュは「怠惰は凡庸な人間にとってのみ致命的だ」と言いました。休息とはおそらく、あらかじめ計画するものではないのでしょう。強制されると退屈になりますから。

私たちにただできることは、何もせずに過ごせる時間が自然とやってくるのを待ち、来たら迎え入れることとです。

そのチャンスを過激に摑みにいった代書人バートルビーのようにする必要はありませんが、仕事中に窓の外に気を惹かれたなら、抗わないでください。しばらくそれを眺めて、それから仕事に戻りましょう。

仕事を抱え込みすぎて疲れたときにお茶を淹れにいくのはいいですが、コップを持ってまっすぐ席に戻るのではなく、別の場所に立つか座るかして、お茶を飲む数分間は休みましょう。

自分に休憩を許しましょう。休息を許しましょう。ほんの少しの時間でいいので、何もしないで過ごしましょう。

それが難しいなら、たいしたことは何もしないで、もしくは、ほとんど何もしないで過ごしましょう。

人気の休息

第4位

音楽を聴く

THE ART OF REST

月に一度、金曜の夜に、ロンドン南東の町ペッカムの一軒家に中年男性が数人集います。全員あごひげを生やしていますが、ペッカムでは普通のことです。職業はさまざまで、教師に写真家、喜劇の批評家もいます。

男性たちは、割と真剣に取り組んでいるある活動のために集まっています。しかし、活動前にパブに集合し、まずはだらだらと過ごします。活動があることは確かですが、今回の会場となる家に急ぐ様子は見られません。やっと一人がほかのメンバーをせきたてはじめます。

家に着くと、男性たちは居間でそれぞれがくつろげる場所を求め、素早い者はソファーや肘掛け椅子を確保し、残りは床に腰をおろし壁にもたれます。活動の始まり、聴く時間です。レコードがかけられようとしています。何のレコードかを知るのはただ一人、その月の「選択者」だけです。

選択者は1950年代製の食器棚の上に置かれた銀と黒のターンテーブルに近づきます。そしてレコード針をレコード盤に落とし、音楽が始まります。

これはレコードクラブです。ブッククラブ（読書会）という、毎月持ち回りでメンバーの家に集い、その人が選んだ本について議論する集いがありますが、レコードクラブはこれに似た音楽の会で、中年以上の音楽愛好家が多く参加します。

ただし、レコードクラブは一般的なブッククラブよりもルールが厳格です。私の経験上、ブッククラブは文学談義と同じくらい雑談したりワインを飲んだりする時間もありますから。音楽が始まったらもう誰も口を開きません。レコードの半分を聴き終えるまで、お喋りは禁止。アルバムのA面が終わって初めて、その作品のチョイスに対する感想を発言できます。

クラブのメンバーに聞いたところ、このルールなしでは誰もきちんと音楽を聴かないだろうというのが理由だそうです。ティーンエイジャーの頃にレッド・ツェッペリンやセックス・ピストルズ、デヴィッド・ボウイなどに初めて出会ったときの思い出を好き勝手に語りはじめてしまうのでしょう。

もちろんそれも楽しみのひとつで、後で行うのですが、まず重要なのは**音楽に没頭してその**

力を感じることです。

音楽が人間の精神に影響を与えることは疑いようがないので、この章では音楽がなぜ特別な力を持つのかを追究するのではなく、音楽を最大限に有効活用して安らぎを得る方法を研究データから読み解きたいと思います。

アンナ・フロイトセンターによる最新の研究結果は、**音楽を聴くことが、25歳未満の若者のあいだでは最も一般的なセルフケア方法になっている**と示しています。レコードクラブは、その倍以上の年齢の人も音楽のよい効果を認めていることの証でしょう。

■ モーツァルト、ブラーほか何でも好きなものを聴く

音楽を休息に使いたいなら、当然好きな音楽を選びましょう。音楽の好みは、たとえば景色の好みよりも個人差がずっと大きくなります。

景色なら、大半の人が海辺や山が好きだと言うでしょう。音楽に対しては特定のジャンルに抱く嫌悪のレベルも高く、麻薬取り引きで知られるロンドンのいくつかの地下鉄駅ではクラシック音楽を大音量で流すだけで、若者の集団がうろつくのを防ぐ効果を発揮しているほどです。そのあたりをぶらつこうにも、音楽に耐えきれずに別の場所に移動するのだそうです。

当然、クラシック音楽が好きではない品行方正な若者（と若くない者）にとっても苦痛（私

個人としては大音量のヴィヴァルディは割と好きです）ではありますが、事実、効果はてきめんなのです。

クラシック音楽は、音楽の功績の頂点に君臨するとよく言われます。

ピアニストのジェームズ・ローズは著書『Instrumental（楽器曲）』で、ひどい虐待や神経衰弱、依存症を経ても生き延びられたのはラフマニノフやバッハなどの作曲家のおかげだと書いています。

ドイツ人ピアニストのアレクサンダー・ロンクィッヒが弾くシューベルトのピアノソナタ第20番を聴くときの気持ちを、彼はこう表現しています。

「音楽が耳の中へと流れ込み、ただただ頭を支配する。誇張しすぎだと思われるだろうが……ウィーンでのピアノレッスンの後に初めてあの演奏を聴いたとき……画面に映った天才を前に私は人目もはばからず泣いた。この世界の素晴らしいところを余さず誠実に思い出させてくれた……ロンクィッヒがつくる音も、圧倒的なテクニックも、身体の細胞ひとつひとつにソナタがまるごと入り込んでくるような、驚いて口を開けて見入るしかないような離れ技も、それこそ途方もない偉業だった」

卓越したクラシック音楽がこれほどの反応を引き出せるとなると、クラシックが脳にきわめて大きい影響を与えるという説に、もはや驚きはしません。モーツァルトにまつわる定説が最も有名でしょう。

モーツァルトを聴くと頭がよくなるというモーツァルト効果について、一度は聞いたことがあるのではないでしょうか。赤ちゃん、幼児、子ども、大人、妊婦さえも対象に、モーツァルトの音楽が脳の力を高めると請け合う本やCDが数多く出ています。

でも、モーツァルトを聴くと賢くなる可能性があるという自然科学的なデータに関して言えば、議論の余地があります。

「モーツァルト効果」という言葉は1991年に生み出され、その2年後に、ある研究結果が発表されたことで世に広まりました。

モーツァルトが天才であったことは間違いないため、彼の素晴らしい音楽を聴くとその聡明さが少し伝染するという説はもっともらしいうえに魅力的でした。すぐに大勢の両親が幼い我が子に「アイネ・クライネ・ナハトムジーク」や「魔笛」を聴かせるようになりました。

1998年にはアメリカの当時のジョージア州知事ゼル・ミラーが、州内で誕生した子どもすべてにモーツァルトのCDを贈る予算を組む提案をしました。

ミラー知事の計画にはさすがに動物は含まれていませんでしたが、含めるべきだったのかもしれません。

『Mind Myths（心に関するうそ）』を執筆した心理学者セルジオ・デラ・サラは、イタリアのモッツァレラ農場を訪れたときの話を私にしてくれました。質のよい乳ができるという考えから一日に３回水牛にモーツァルトを聴かせていると、農家が得意げに話したそうです。金魚のブリーダーや蘭農家なども同じことを試していたかもしれません。

モーツァルト効果の人気ぶりを見ると、研究チームは１９９３年にさぞかし決定的な大発見をしたのだろうと思うでしょう。でも、実はしておらず、したと主張してさえいないのです。

彼らの科学論文では、その実験に関する記述はたった１ページに収まっています。しかも「モーツァルト効果」という言葉をいっさい用いていません。もうひとつ驚いたことには、その実験では子どもは被験者に含まれていません。多くの心理学実験と同じく、被験者は大学生でした。

研究チームが本当に行った実験と本当に得た結果はこうです。

36人の学生が３種類の状況下で知能テストを受けました。問題をひとつ解く前に必ず、次の３種類からランダムに割り当てられた曲を10分間聴きます。無音、リラクゼーション音楽、モーツァルトの「２台のピアノのためのソナタ　ニ長調」です。

研究チームは、聴いた音楽によりさまざまなタイプの問題を解く能力に違いが見られるかを比較しました。

すると、あるタイプの問題において、モーツァルトを聴いた学生たちが抜きん出てよい成績を収めました。たとえば、一部を切り取られて折りたたまれた紙を見て、その紙を開くとどのような模様が現れるかを予測する問題です。意外に難しいのですが、モーツァルトの音楽は力を発揮しました。ただし、この能力向上が持続したのは15分間でした。一生ものの高い知能を手に入れたとは到底言えませんね。

とはいえ、音楽によって何らかの限定的な能力が向上しうるという考えは、神経科学的にはとても興味深いものです。

仮説のひとつに、音楽の複雑さが、脳皮質の神経伝達パターンを、空間認知パズルを解くときのパターンと似た形にするというものがあります。

年月をかけて研究はさらに進められ、合計16の研究結果のメタ分析と再分析を経て、モーツァルトを聴くことで図形の処理能力が一時的に向上しうると結論づけられました。

よって、**モーツァルトの音楽は、ある非常に限定的なタスクに対する能力を向上させうるということですが、正直言ってあまり役に立つタスクではありませんでした。**

もともとモーツァルトが好きなのであれば、図形処理能力の向上はおまけをもらったと思えばいいでしょう。でも、もしモーツァルトが好きでなかったら？　特に心配はいりません。

メタ分析の結果が発表されてから数年後、モーツァルトの曲自体に特別な何かがあるわけではないということがわかってきました。２００６年にまた実験が行われ、今回は子どもを被験者に、それもたった36人ではなくなんと８０００人を対象としました。

子どもたちは、次のいずれかを10分間聴きました。モーツァルトの「弦楽五重奏　ニ長調」、実験について議論する音声、ブラー「Country House」とマーク・モリソン「Return of the

Mack」とＰＪ&ダンカン「Stepping Stone」のポップスメドレーです。

ここでも音楽は、折りたたまれた紙を開いたときの形を当てる能力を向上させました。ただしモーツァルト効果とブラー効果に大きな差はありませんでした。

モーツァルトを聴いた子どもはよりよい成績を収めましたが、ポップスメドレーの場合はそのさらに上をいきました。子どもたちはポップスのほうが気に入ったのかもしれません。

２０１０年に実施されたもっと大規模なメタ分析では、音楽を聴くことによる空間認知能力の向上はほんのわずかで、モーツァルトに限らずほかの音楽でも効果は変わらないことが確認されました。研究者は論文に「Mozart effect-Schmozart effect（モーツァルト効果はたいしたことない）」という題を付けさえしました。

ある別の研究によると、スティーヴン・キングの小説が好きな人はその一節を聴くと空間認知能力が同様に向上しました。つまり、**重要なのは何の音を聴くかではなく、その音にどの程度思い入れがあるかなのです**。折りたたんだ紙のテストでよい結果を残すには、認知能力にほんの少し刺激を与えさえすればいいのです。頭が普段よりも少し活発に動くよう、手助けさえすれば大丈夫なのです。

モーツァルト効果のこの結末は、音楽が持つメリットを何でもかんでも鵜呑(うの)みにすることに警鐘を鳴らしています。でも、この本の主題からはそれてしまいました。私たちは脳を活性化する音楽ではなく、休息を得られる音楽を探しているのです。では、休息の面で特定のジャンルの音楽の効果を示すデータはあるのでしょうか。

入眠のために人が選ぶ音楽についての最新の研究から、学べることがあります。

入眠に音楽の力を借りる習慣は、26歳以下に多いようです。おそらく若い人のほうが、想像を超える量の音楽を聴ける携帯電話を枕元に置く傾向が強いから、または配偶者やパートナーと同居している可能性が低いからだと思います。

被験者たちは休息よりは睡眠を目的としているのは確かですが、**入眠の助けに音楽を利用した若者の96%が、音楽を聴いて眠れた理由はリラックスできたから**だ、と回答しています。さらに、音楽が頭を空っぽにしたから、気晴らしになったから、考えごとが静まったから、と答えた人も多くいました。どれも人が安らいだ気持ちになりたいときに求める要素です。

被験者たちが選んだ音楽のジャンルは幅広く、32％がクラシックを、1％未満がハウスミュージックを選びました。バッハが一番多く、その次にエド・シーラン、そしてお決まりのモーツァルトが続きました。

被験者が自分で音楽を選んだところがポイントです。**気分を落ち着ける、リラックスする、眠りにつく効果を謳う曲は山ほど出回っていますが、その有効性に疑問を投げかける結果となりました**。音楽ならなんでも好きだというわけでない限り、こうした曲の効果はあまり見込めないでしょう。

この研究には、６００人以上が参加しました。被験者数がこれよりもはるかに少ない実験を見ると、どの程度信用すべきか、私はいつも慎重になります。でも、企画内容によっては、小規模でも非常に有益な実験となることもあります。

音楽とリラックス効果に関する研究で私が気に入っているもののひとつは、フィンランドのティーンエイジャーわずか8人を対象としています。一人ひとりが3時間以上かけて音楽の聴き方について深く語り、実際の日常生活で人が音楽をどう利用しているかの理解に繋がる豊富な情報を提供しました。

主要な発見のひとつは、**リラックス効果を考えたとき、聴く音楽の種類はやはり関係がない**ということです。

しかしもっと興味深かったのは、気分のコントロールに音楽を一番うまく活用していたティーンエイジャーは、好んで聴く音楽のジャンルが最も幅広かったという点です。

好みが幅広いほうが、音楽をリラックスに役立てやすいようです。結局、人間の気分だってさまざまだからでしょう。お堅いバッハが効くときもあれば、おセンチなバニー・マニロウがいいときもあります。グライム［イギリスで２０００年代前半に生まれた、ハウス系エレクトロニックミュージックにラップやレゲエの要素を加えた音楽ジャンル］が一番しっくりくる可能性だってあります。

ラジオ番組「Desert Island Discs（無人島に持っていきたいレコード）」を聴いていつも思うの

は、人生が最高にうまくいっているゲストたちは、ビヨンセからベートーベンまで多様なレコードを選んでくるということです。さきほどのフィンランドの研究結果と通じています。

というわけで、種類は何でもいいことがわかりましたが、では音量やテンポはどうなのでしょう？

■音量とテンポは、安らぎに影響する

あなたが親切にも時間を割いて心理学実験に参加するとしましょう。もう一人の有志の参加者と一緒に部屋に入り、ものすごく難しいアナグラムを解くよう指示されます。

もう一人は早々に解き終えたようで、「まだわからないの？」と言ってアピールしてきます。脳みそさえあればこんなの簡単だ、とあおってきます。

さらにこの失礼な人は、そんなに解くのが遅くてどうして大学に入れたんだろう、さぞかし成績も悪かったことだろう、と続けます。挙げ句の果てにはずうずうしくも、あなたのファッションセンスの批判まで始めます。

あなたはすでに、こいつは何者なんだと思い、ちょっとどころではなくいらついていることでしょう。まさにそれが実験の狙いです。

あなたを確実に不機嫌にさせるため、実験参加者という名目で現れる相手はもちろん研究

チームの一員です。あなたを怒らせる話題が見つかれば、自由にシナリオを外れてしつこく攻撃していいことになっていました。だから、あなたがげんなりするまでケチをつけたのです。

安心してください。最近ではこのような実験を行う許可を得るのは難しくなっています。この実験は１９７６年に心理学者ウラジミール・コネクニの指揮の下で実施されました。この少し後で、他人に致命的な強度の電気ショックを自分が与えていると被験者に思い込ませた、スタンレー・ミルグラムの悪名高い実験をきっかけに、心理学に倫理規制が適用されるようになりました。

実験のために他人を怒らせることがどれほど性悪かの判断は皆さんにお任せしますが、音楽が気分に与える影響を突き止めるというこの本の目的のためには、いまや数十年前の研究に頼るしかありません。

被験者の自尊心を害する発言でたっぷりと攻撃した後、コネクニは被験者にさまざまな種類の音楽のなかからひとつ選ばせました。騒々しく複雑な曲もあれば、静かでシンプルな曲もありました。被験者は自分を落ち着かせて侮辱から立ち直るために何の曲を選んだでしょうか。

結果は極端でした。79％が静かでシンプルな曲を選んだのです。対照的に、失礼な人による邪魔なしにアナグラムを解いた別のグループでは、被験者が選んだ音楽は好みによって半々に分かれました。

１９７６年のコネクニの研究から得られた教訓は明らかです。予想どおりではありますが、

一般的に言えば、ストレスを感じたり安らぎを求めたりするときにはイージーリスニングを聴くといいということです。

ジャスピアニストのナット・キング・コールや、リラクゼーションのコンピレーションアルバム、モーツァルトなど何でもかまいませんが、あまり複雑でない曲にしましょう。

私は個人的には作曲家シュトックハウゼンの曲が好きです。でも緊張しているときや怒っているときには聴きません。夫はドイツのプログレッシブ・ロックバンド、カンが好きです。でもくつろぐための音楽ではないそうです。誰にとってもきっとそうでしょう。

気分がよいときなら複雑な要素を多く含んだ曲を聴く余裕もありますが、**気分のよくないときには自分の脳内の興奮度を抑える必要があるため、単純な音楽のほうが向いています。**

人が特定の種類の音楽を好むのは、興奮しているときだけではありません。身体が疲れているときにも同じことが起こります。

音楽心理学者のエイドリアン・ノースとデイヴィッド・ハーグリーヴズは、有志の被験者を2グループに分けました。片方のグループは7分間ただベッドの上に寝転んでリラックスして過ごします。もう片方のグループはエアロバイクを7分間漕ぎます。

その7分のあいだに被験者は、「ざっくりとポップミュージックに分類できる」曲をテンポが速くて騒々しいバージョンか、遅くて静かなバージョンかのいずれか好きなほうで聴きます。

いつまで聴くかも被験者が自分で決められ、希望すれば途中で別のバージョンに切り替えることもできます。

この研究から得られた考察の前半は、驚くにはあたりません。被験者は自分の活動に合う音楽を選びました。つまりエアロバイクを漕ぐ人は速くて大きな曲を、リラックスする人は遅くて静かな曲を選びました。

しかしその後、同じ被験者を対象に実験を繰り返し、今度は条件に大きな変更を加えました。活動の最中ではなく、**活動終了後**に参加者が聴きたい音楽を選ばせたのです。すると結果も変わりました。

この条件では、寝転んだグループの選択は人それぞれでしたが、エアロバイクのグループでは遅い音楽を選ぶ人が多くなりました。エアロバイクで激しい運動をした後、ほとんどの人は疲れを感じて休息を求めていたため、それが叶う曲を選んだのは明らかです。

なお、すでにリラックスしているグループは、そのまま休んでいたいかそろそろ活発に動きたいかによって、選ぶものが異なりました。

■ ムードミュージック

気分を変えようという意図で音楽を利用するのはめずらしいことではありません。

うつ病の人のなかには「**ハッピーボックス**」と呼ばれる箱をつくり、気分が落ち込んだときの助けとなるものを詰める人がいます。

いまどんな感情を抱いているとしてもそれが永遠に続くわけではないこと、世界には自分を大切に思い愛してくれている人がいることを、思い出すきっかけとなるものを何でも詰めます。たとえば旅行の写真、見ると笑顔になれる友人からのカード、お気に入りの靴下、いい匂いのハンドクリーム、チョコレート、誰かが褒めてくれたときのメモ、プチプチとつぶす楽しみのためにエアパッキンを入れてもかまいません。そして「ハッピーボックス」に入れるものの定番が、楽しい気分にさせてくれるＣＤやプレイリストです。

このアイデアを取り入れて「**休息ボックス**」をつくり、気持ちを落ち着けたりリラックスしたりできるものを入れるとよさそうです。香り付きのキャンドル、お気に入りの本、そして音楽も忘れずに。

私たちはリラクゼーションの聖地である自宅のリビングや寝室で、すでにこれをやろうとしているのかもしれませんね。

音楽が気分に与える効果に関する一般原則が、研究から明らかになりました。

予想どおりだとは思いますが、最も興奮を喚起するのは騒々しくてテンポが速い長調の曲で、不規則なリズムを含むといっそう効果的です。騒々しくて流れるようなリズム、高めの音の曲は幸せを喚起しやすく、テンポが遅くて低めの音の短調の曲、それも一定のリズムと不協和音をともなう曲は悲しみを誘発しやすいようです。

この本に一番深く関係する発見としては、**テンポが遅くて流れるようなリズムの、協和音を含む長調の曲が、落ち着いた気持ちをもたらしやすい**とのことです。

これも基本的には予想の範囲内であり、数々の研究結果が私たちの直観を裏付けていると言えます。ただし、あくまで一般化した傾向であり、あらゆる状況で全員に当てはまるわけではないと理解しておきましょう。

現実的に言えば、休む必要性を感じたときに座ってプレイリストをスクロールしながら、またはレコードのコレクションを見渡しながら、「テンポが遅くて流れるようなリズムの、協和音を含む長調」の曲を探す人はいないでしょう。

実際どうするかというと、だいたいそのような雰囲気の曲を探す、それも過去によい効果があったもので、何よりも自分が好きと思える曲を探します。

人が入眠するときに聴く音楽の種類を調査した心理学者タバサ・トラハンは、「睡眠に一番適した曲」を選ぶには、音響心理学の信頼できる指標に沿いながらも個人の好みを取り入れる必要があると強調しています。

「休息に一番適した曲」を探すにしても同じです。自分にとって最も鎮痛作用と不安緩解作用（「不安を軽くする」という意味の素敵な言葉です）のある曲は、**自分で選ぶ必要がある**と、データが示しています。

音楽と気分に関する最も良質な研究では、経験抽出法という技術を採用します。被験者が行っている活動と気分をリアルタイムで記録するものです。

スウェーデンの心理学者パトリック・ジュスリンは学生たちに手のひらサイズの端末を配布して常に携帯させました。

端末からは、午前9時から午後11時のあいだにランダムに通知音が鳴ります。学生は通知音を聞いたらすぐに、そのときに音楽を聴いていたか、何をしていたか、どんな気持ちを感じていたかなどの質問に端末上で答えます。これを2週間続けました。

通知音が鳴ったときに音楽を聴いていた学生のうち64%が、音楽が気分に影響を与えていたと回答しました。

そして休息の研究者にとってはうれしいことに、音楽を聴いていた学生に最も多く生まれた感情は安らぎでした。さらに、リラックスする目的で意識的に音楽を聴いたときに、最も気持ちが落ち着くこともわかりました。

少し前に紹介したフィンランドのティーンエイジャーたちは、音楽と休息について多くを教えてくれました。

何人かは、音楽を聴くとリラックスすると**同時に**元気になり、気持ちが前向きになり、外へ出かける気分になれると言いました。これを目的に聴く人もいるようです。

アリスは、元気をつけたいときに「全身全霊でザ・キラーズの歌を歌います。近所の人が留守だといいのですが」と話してくれました。もしかすると、**安らぎを得るにはまずはリラックスにいいとよく言われる穏やかな曲を聴き、その後にもっとエネルギッシュな曲を聴いて気分をリフレッシュするのがいいのかもしれません。**

あるいは、深い安らぎと回復をもたらしてくれる「**休息用プレイリスト**」をつくり、お気に入りの曲でいっぱいにするのもよさそうです。次の疑問は、音楽を聴くタイミングです。

まあまあストレスが溜まる一日に休息をとりたいと思ったら、複数の研究結果によると、音楽を聴くベストタイミングは夜です。

もっとも、多くの人にとっては夜か、職場から帰宅途中が、一日で初めて音楽を聴ける時間でしょう。

レストランや店舗で働く人は一日中BGMを耳にしているかもしれませんが、自分で選んだわけでなければ、ストレス緩和というよりストレスのもとになることもあります。その場合は、帰宅後に本当に好きな音楽を聴くことで、確実にストレスを軽減させて安らげるでしょう。

休息調査で音楽を聴くことをトップ10に入れた参加者は、この意識的に音楽を聴くこと、つまり自分で選んだ音楽を聴くことを想定していると私は確信しています。

ですが、音楽を聴く動機によって、得られる効果に違いが出ます。ドイツのある研究は、考えごとを締め出したいときに音楽を用いるのは逆効果だと示しました。

研究チームは学生に、夜に音楽を聴いた後の自覚的なストレスレベルを記録するだけでなく、唾液のサンプルを試験管にとって冷蔵庫で保管するよう指示をしました。後にその唾液を調べると、リラックス効果を狙って音楽を聴いた場合には、ストレスホルモンのコルチゾールが減少しました。しかし思考を止めて気を紛らわす目的で音楽を聴いた場合には、逆の結果が見られたのです。

私が20代前半の頃、クラシックコンサートはなかなか辛い時間でした。周りの人たちがあまりにうっとりと傾聴するのが不思議に思えました。身動きひとつしないのです。落ち着かない様子はいっさい見られません。楽曲の小節一つひとつ、チェロ奏者の弓の動き一つひとつに真剣に集中しているのだと思っていました。

私は集中とはほど遠い状態でした。目の前で演奏される音楽から思考が遠ざかるのを、コンサート会場に引き戻すのに苦労していました。

しかし、コンサートを愛する私のパートナーは、その思考の移ろいには何ら問題はないと教えてくれました。音楽で思考を自由にしてやるのも、コンサートの目的のひとつだと言うのです。じっと座り、いくつかのことに気を取られながら浮遊し、たまに戻ってきては熱心に見たり聴いたりして、また浮遊する。私にとっては素晴らしい時間だとわかり、いまは前よりもずっとリラックスしてコンサートを楽しめるようになりました。

皮肉にも、集中しなければというプレッシャーがなくなると、もっと集中できるようになりました。

ロイヤル・アルバート・ホールでのプロムナードコンサート［毎年開かれるＢＢＣ主催のクラシックコンサート］に前回足を運んだとき、隣にいた男性が終始電子端末で小説を読むという、画期的すぎる過ごし方をしていました。何を読んでいるのかとても気になって気が散りましたが、男性はすっかり本に夢中でした。

ヒューストングランドオペラの指揮者パトリック・サマーズは、コヴェントガーデンのロイヤル・オペラ・ハウスで「パルジファル」を鑑賞したときに、すぐ前の席の女性がずっと携帯にメッセージを打ち込んでいたと、話していました。「座席案内係がやめさせようとしました。でも女性は拒否。女性と一緒に居た客も注意しました。でも女性は拒否。結局周りはみんな諦めて、できるだけまたワーグナーに集中しようとしました」。

女性の振る舞いにパトリックは驚きあきれ、スマートフォンがどれだけ周りの鑑賞の邪魔になりうるか、女性の行為が周りのオペラ愛好家に対してどれほど失礼かを話していました。でも想像するに、どうやらその女性にとっては、ワーグナーの贅沢な音楽と、友人にメッセージを送る楽しさ（コヴェントガーデンでワーグナーを聴いているの、と伝えていたのかもしれません）の組み合わせこそが、完璧なリラックスの手法だったのでしょう。

■ 一人きりで聴く？　それとも誰かと？

ほかの人と一緒に聴くと音楽によって生まれる感情は増幅されることがある、ということが実験からわかっています。レコードクラブの男性たちも間違いなく同意するでしょうし、私も同意します。

私はグラストンベリー・フェスティバル［イギリス最大級の音楽フェス］をテレビで見るのが昔から嫌いです。のけ者にされたような気分になるからです。ライブ会場にいる聴衆のほうが、私よりもずっと強烈でずっと楽しい思いをしているのは明らかですから。

グラストンベリーで流れるような楽しい音楽は、強い伝染力を持ちます。グラストンベリーのチケットが売り出された瞬間に人々が一斉にウェブサイトにアクセスするのもわかります。泥だらけの沼地に4日間もキャンプするのに喜んで数百ポンドを払うのも、これが理由でしょう。人々はフェスで生まれる共通の喜びと感動に一体化したいのです。私のようにしぶしぶ家で見る人は経験できない、大きな何かの一部になりたいのです。

では、暗く悲しい曲のときはどうでしょう？　何十年も前から、ティーンエイジャーの親は、我が子が仲間と部屋にこもって親からすれば「暗い」音楽を聴いていると、不安になるものです。子どもがゴスやエモなど一部のサブカルチャーにはまっていたら余計に不安です。

でも、本当に心配するべきなのでしょうか？　私にもゴスを好む時期がありました。かなりの時間を費やして、シスターズ・オブ・マーシーやザ・ミッションをファン仲間と聴きました。だからといって悪影響は何もなかったとどうしても伝えたくなります。

このような嗜好は、近年、心理学者の間では研究テーマとして真剣に扱われています。それなりの理由があるのです。思考の反すう（日々の心配事とは異なります）と呼ばれる、悲しい気持ちとその原因ばかりに注目してしまい、ひとつの出来事について取り憑かれたように何度も何度も思案する行為があります。これがうつ病に繋がり、自殺のリスクすら高めることがわかっています。

オーストラリアの心理学者サンドラ・ガヒードは、集団で悲しい音楽を聴くと集団での反すうに繋がりうるか、逆に助け合いや仲間意識などの好影響をもたらすのかについて、調査を始めました。

調査にあたり、ガヒードはメンタルヘルスとうつ病のウェブサイトを通じてオーストラリア、イギリス、アメリカから被験者を集めました。およそ半分が実験当時は軽度または重度のうつ病でした。残り半分は、過去にメンタルヘルスの問題を経験したことがあるものの、実験当時はうつ状態ではありませんでした。

被験者は、各項目についてどの程度同意するかしないかを問うアンケートに回答しました。項目はたとえば、「音楽を聴くと、過去の悲しかったことを思い出す」「悲しいときに聴く音楽は、悲しむ理由を与えてくれる」、または集団で音楽を聴くときに関しては、「友人と同じ曲を繰り返し何度も聴くことがある」「友人と一緒に聴く音楽が、自分たちの人生にどの程度重なるかを、友人と話すのが好きだ」などです。

被験者はさらに、悲しいときに聴くと思う曲をひとつ挙げるよう指示されました。ここで挙がった曲は、暗い歌詞についての詳細分析に使われることになりました。

すると、衝撃的で憂慮すべき実験結果が得られました。

うつの状態にある人は、暗い歌詞の曲をより多く聴いていたのです。さらに、実験当時にうつの状態にはなかった人と比べると、一人きりではなく友人と一緒に聴く頻度が高いこと、また音楽を聴くあいだに思考の反すうをする確率が高いこともわかりました。

うつではない人のほとんどは悲しい音楽を聴いて気持ちが落ち着くと答えましたが、悲しいことに、うつ病の人は気分がいっそう落ち込むと答えました。

つまり、**うつの症状がある人が悲しい音楽を聴くのは、それも特に二人以上で一緒に聴くのは、避けるべき**なのです。

とはいえ、この研究結果は実はもっと複雑です。不安な気持ちのときに音楽を二人以上で聴くと、よい効果があることも確認できています。この場合には、ほかの人との関係を深めることが、不安な気持ちに対処する助けとなったのかもしれません。

それでは、極度の不安やうつに悩んでいない人にとってはどうなのでしょう？　音楽を二人以上で聴くか一人で聴くかによって、気分に違いは出るのでしょうか？　グループで聴くほうが休息になるのでしょうか？　それとも一人のほうがいいのでしょうか？

さきほど引用したスウェーデンの研究では、一人で音楽を聴いた後に最も気持ちが穏やかになり、パートナーと聞いた場合がそれに続きました。同様に、フィンランドのティーンエイジャーも、ストレスのたまる一日の終わりにリラックスしてリフレッシュしたいときには、一人で音楽を聴くほうが効果的だとはっきりと述べました。他人から離れてその日を振り返り、慰めを見出すことができるからです。

このような研究結果からは、リラックスが目的なら、録音された音源を自宅で聴くのがよさそうに思えます。

でもだからといって、決してこれが音楽を楽しむ最善の方法というわけではありません。音楽が最も力を発揮するのは没頭して聴いたときだという考えに、音楽家はきっと同意してくれるでしょう。

少し前にも登場したヒューストングランドオペラの指揮者パトリック・サマーズは、音楽家を代表して、最新の著書『The Spirit of This Place: How Music Illuminates the Human Spirit（ここにある魂：音楽が人間の精神を照らす）』で大胆な主張をしています。「音楽を聴く力こそが地球上で最も重要ではないだろうか。特に本格的な音楽は、目的を持って理解しながら素直な気持ちで一心に聴くことを教えてくれる」。

ただし、パトリックは一人で聴くべきだと主張してはいません。さすが一流の芸術家だけあって、音楽を楽しむ最善の方法は演奏すること、次いで生演奏を聴くこと、そして大きく差があって、録音されたものを聴くことが続くと考えています。

これは真実だと、私も確信しています。私がこれまでで最も深く音楽というものを感じ、落ち着いて安らいだ気持ちを得たのは、コンサートホールで完全に楽曲に聴き入ったときです。でも生演奏を聴きに行くにも限度があるので、多少厄介な面を持ち合わせていても、いつでもどこにいても録音済みの音楽ならほぼ何でもすぐに聴くことができる技術にも感謝しています。

よって、**休息を得るために音楽を聴きたいのであれば、一人で聴くか誰かと一緒に聴くかよりも、適切な環境と適切な音楽を選ぶことが重要です。念を押しますが、この適切な音楽とはあなたの好きな音楽のことです。**

ロックバンド、トーキング・ヘッズのデヴィッド・バーンも間違いなくこの法則にうなずくでしょう。ベストセラー著書『How Music Works（音楽の効能）』の最終章には、「メロディー、堅苦しい構成、ハーモニーの監獄」に縛られはしないものの、そうした基本要素にこだわりを持つ音楽が好きだと書かれています。バーンは特定の音楽ジャンルを特別扱いしようとはしていません。

この章を、バーンの別の見解を引用して締めくくろうと思います。

その著書の前半でバーンは、世界はいまや音楽で「あふれかえって」いると述べています。「かつては音楽にお金を払うか、自分でつくるかする必要がありました。音楽を演奏したり聴いたり楽しんだりすることは、非凡かつ貴重で特別な経験でした。いまはいたるところで音楽を聴く時代になり、静寂のほうが希少で人々がお金を払って味わうものになっています」。

音にあふれたいまの世界では、私たちが一番休息を得られる音は、もしかすると静寂なのかもしれません。

人気の休息

第3位

一人になる

THE ART OF REST

私は一人暮らしをしたことがありません。大学に入るまでは両親と住み、大学時代は友人とルームシェアをして、それからパートナーと暮らしはじめました。

そんなわけで、家で数日間一人きりになるときは、家が自分だけのものになるという新鮮な気分を楽しみます。静けさと平穏を味わいます。

でも、これもあくまで一時的なもの。すぐに前庭に出て、枯れた花を取り除いたり水やりを始めてしまいます。それが必要だからというだけでなく、近所の人や知らない人がお喋りしようと立ち止まってくれることがあるからです。

一人で時間を過ごすことの何が素晴らしいか。時間が引き延ばされるところです。昼間はだらだらと延びたかのようで、夜はまるで無限に続きそうです。時間の経過に関する本を書いた経験から、私は時間が歪む様子も理由もよく理解していますが、それでもそうなったときにはいつも驚きます。

そしてひとつ計算が合わない点があります。一人きりの日は普段よりも何時間も長く昼間があるように思えるのに、普段ほど用事を済ませられないのです。朝寝坊して夜更かしをして、いつも以上に携帯電話をいじりテレビを見ます。不規則に食事をとり、散らかしても片付けるのはよくて次の日です。相談する相手も気を遣う相手もいないので、自由が増えて目的がないという当惑するような組み合わせが生まれるのです。

それ以外にも、**一人で過ごす時間には、確実に特別で不思議とさえ思える何かがあります。**そして間違いなく私は普段よりも安らぎを感じます。夫が旅先などから戻ってきたら顔を見られてうれしいですが、日常も一緒に戻ってきたように感じられます。その日常というのは、私にとっては忙しくて充実していて社交的な日々です。

人類は社会的存在として進化し、協力し合うことで種として生き残り繁栄してきました。社会が生まれた頃、そこから外れて生活していた祖先は、野生動物に襲われたり別の部族の攻撃を受けたりなどして、孤立するのは危険だとすぐに認識しました。

社会がより大きく、経済がより複雑に発展するにしたがって、互いに協力し、信頼し合い、人間関係を築いていくことの重要性は高まる一方となりました。人類は利己的な性質のおかげで繁栄したという説は、人類学者、社会学者、経済学者によって絶えず覆されてきました。

話題を呼んだ『平等社会』（東洋経済新報社、２０１０年）の著者であり有名な学者でもあるリチャード・ウィルキンソンとケイト・ピケットは、続編となる最新の書籍『格差は心を壊す』で、彼ら二人の専門分野と進化神経科学分野からの数多くの証拠を挙げながら、次のような結論に至りました。

「人間の頭脳はまさしく現実的な意味において社会的な器官である。頭脳の成長と発達は、社会生活の必要性から促進されてきた。これが間違っていないことは、他人との関係が良好に保たれれば、長命や福利、多産に恵まれることを見ても明らかだ」――『格差は心を壊す』（川島睦保訳、東洋経済新報社、２０２０年）

一人きりでいることを困難、ときに苦痛とすら感じるように進化したのは、これが理由です。その苦痛こそが重要で、進化の理由となったのです。

社会神経科学者ジョン・カシオポは、孤独によって生じる痛みは、新しい友人を探したりいまの人間関係を深めたりするきっかけになるという点では前向きなものだと述べました。他人との繋がりを維持するよう促す痛みです。

カシオポは、孤独を喉の渇きにたとえました。喉が渇いたら、水を求めます。孤独を感じたら、他人を求めます。何千年にもわたり、人間は助け合いながら共同生活をすることで安全を確保し、生活の質を上げてきました。だから他人と繋がろうとする思考回路を本能として持つのも、理にかなっています。

しかし、このように進化学的、社会学的な要因があり、孤独への対処法には近年注目が集まっていて、孤独は確実に苦痛とストレスを生むにもかかわらず、**多くの人々が一人きりの時間を欲し、一人きりになるまで本当の意味で休まらないと感じています。** **休息調査も一人きりのときに心の平静を見つけられることが多い**とも示しています。

サルトルの有名な言葉に「地獄とは他人のことだ」とあります。

休息調査の上位五つは基本的に一人きりで行われる活動で埋まり、友人や家族と会うことや社交活動はトップ10にすら入りませんでした。最も休息になる活動は一人で過ごすことだと回答した人には、30歳未満の女性が特に多く見られました。

こう感じるでしょうか。「うーん、それは結局その人が社交的かどうかによるのでは？　内向的な人は孤独を求めるけど、外向的な人は違うのでは？」。

ところが**休息調査で集めた性格に関するデータを見ると、外向的な人でも一人で過ごすほうが他人と過ごすよりも安らげると回答していました。** 完全に内向的な人と比べると、一人きりの時間に惹かれる度合いは確かに低くはありましたが。

みんなが、多すぎない適度な量の一人の時間を欲しています。ワーズワースが言う「漂う雲のごと」さまよう喜び、そして「物思いに沈み」ながら長椅子に横になって思い出す、自然のなかで水仙を見たときの「独り居の喜び」――『ワーズワース詩集』（田部重治訳、岩波書店、1957年）は、誰もが理解できるものでしょう。

でも、風に踊る水仙を「快よき仲間」と表現しているところも忘れてはいけません。ワーズワースは湖水地方の山道をたびたび一人で散策しましたが、友人のコールリッジや妹のドロシーと連れだって出かけることも同じくらい多くありました。一人で過ごすことにおいてもまた、バランスと選択の自由が重要な要素となるのです。

別の偉大な物書きの言葉を借りますが、ノーベル賞にノミネートされたフランス人作家コレットは、一人の時間が「すぐに酔えるワイン」になる日もあれば「苦い気つけ薬」になる日もあると書き残しています。

■「寂しい」と「一人きり」の境界線

現代では、かつてないほど大勢の人が人に囲まれて都会で暮らし、さらに現代のコミュニケーションツールが24時間365日私たちを繋ぐので、一人きりになることなどいっさいないかのように感じます。

でも実は、それは間違った感覚です。**私たちは起きている時間の平均29％は一人で過ごして**

いるのです。立ち止まってこの事実を熟考する価値はありそうです。

その一人きりの時間のなかには、あまり楽しいとは思えない時間も多くあります。画面の前に座らされて退屈な仕事をしたり、ぎゅうぎゅう詰めの電車や地下鉄、バスに乗って一人で帰宅したりする時間です。これを上質な「自分時間」とは捉えませんし、このような時間はたいてい安らげるものではありません。

一日を通してランダムなタイミングで通知音を鳴らし、そのたびに唾液のサンプルをとった既出の研究では、**被験者が一人でいるときのストレスホルモンのコルチゾールの量は、平均的に増加しました**。そして予想どおり、被験者が一人きりでいるのに加えて悲しみや寂しさを感じていいるときにはコルチゾールの量はさらに増えました。

心理学者のクリストファー・ロングとジェームス・エイブリルは、**一人でいるときに真の孤独な状態に陥りたくなければ、自分は他人との有意義な繋がりをたくさん持っていると思い出すことが重要だ**と結論づけました。

また、孤独の歴史を研究する著名な歴史家バーバラ・テイラーは、一人きりでいるときに頭の中で一緒にいる人物は誰か、学生に尋ねたそうです。しばらく悩んだ後に「一番愛する人」と答えた学生が最も多く、「神」と答えた人もいたそうです。

有意義な人間関係を持たず本当に理解してくれる人もいないと感じたり、同様の繋がりを感じられる神などを信仰していないならば、一人でいてもいなくても孤独に襲われることはあります。孤立が寂しさを生むことも当然ありますが、たいていは構築している人間関係の質（誰かと一緒にいるかではありません）が、寂しいと感じるかどうかを決めるのです。

人間関係の量もひとつの要素です。自分が欲しいと思う親密な相手の数と、実際にいる親密な相手の数との間に乖離があると思うときに、孤独を感じることもわかっています。

アイオワ州立大学の研究チームが大学生対象の調査で、親密な友人の数が、本人が理想とする人数に近いと、孤独感を抱く頻度が減るということを発見しました。

理想の数が多いか少ないかは、主観的な判断となるため重要ではありません。しかし**良質な人間関係が自分の人生には不足していると本人が感じると、孤独を感じやすくなるのです**。

研究者自身も驚いたという別の発見もありました。実際にいる友人の数が本人の理想の数を超えると、また孤独を感じはじめるのです。友人を過剰に持つことを重荷に感じるのでしょうか。それとも、まだあまり親密ではない友人とさらに親密になりたいと考えるからでしょうか。もしくは、私としてはこの説が一番興味深いのですが、友人の数が多すぎると一人の時間を十分にとれないように感じるからでしょうか。

休息調査では「孤独の反対は何ですか？」という質問をしました。得られた回答で一番多かったのは、人間関係への満足感で、それから幸せ、友情と続きました。

後日、ショーン・オヘイガンというミュージシャンに道でばったり会いました。私が孤独について話したラジオ番組を聴いたオヘイガンは、それ以来、さきほどの質問のことをずっと考えていたそうです。そして、とても素敵にまとめてくれました。「孤独の反対は、一人の時間を欲すること」。

きっとオヘイガンが正しいのでしょう。孤独を感じていない真の証は、一人の時間を切望することなのかもしれません。

■ 一人になって自分を失うべし

一人でいることは、自己意識に影響を与えます。孤独の程度によって、プラスもマイナスの影響も起こります。究極の孤立、つまり恐ろしい処罰である独房監禁について、少し考えてみましょう。

経験者によると、独房に移動した直後には、ほかの囚人から離れて心を落ち着けたり空想したり休んだりする時間が得られるという安堵の気持ちがあったそうです。

でも、やっと始まった思考の移ろいは、思考の破滅に終わります。北アフリカで政治犯として何ヵ月も隔離状態に置かれた経験のあるタビールは、「誰も自分がそこにいると知らないから、自分はいないに等しいんです。自分が存在しないのです」と話してくれました。

タビールの独房にはベッドもトイレもなく、壁の高い位置に小窓があるのみでした。長い静寂の昼間が続き、やっと日が沈みます。

すると音が聞こえはじめます。拷問を受ける仲間の囚人の叫び声です。ぞっとするような声でしたが、タビールにとってはある意味慰めにもなりました。ほかの人々が生きている世界に自分もまだいると、思い出させてくれたからです。

カリフォルニア大学サンタクルーズ校の心理学教授クレイグ・ヘイニーは、1000人以上の受刑者がそれぞれ独房に収監されているカリフォルニア州ペリカンベイ州立刑務所のスーパーマックス施設で、独房監禁が受刑者にもたらす影響を調査しました。なかには10年以上も独房にいる受刑者もいました。その状況はやはり、とうてい安らげるとは言えないものでした。

受刑者によって反応はさまざまで、後ろで扉に鍵をかけられた瞬間に「孤独恐怖」とも言われるひどい恐怖に襲われる人もいます。または、はじめはやっていけたものの、徐々に希望を失い気が滅入りはじめる人もいます。時間が経つにつれ、刺激のなさが受刑者の認知能力を失わせ、記憶力を衰えさせることもあります。

ヘイニーは、自分が誰であるかを永久に忘れてしまうケースも目にしました。「この目で見たんです。人のアイデンティティがひどく傷つけられ、二度と再構築できないほどに根本から破壊されてしまった極端な例を」。

日常のなかで、私たちは他人との交流を通じてアイデンティティを確立したり構築しなおしたりしています。そのため他人との接触を断たれると、なぜ自分がまだ存在しているのか疑問に思いはじめる受刑者が出てきます。

モダニズムの作家デイヴィッド・マークソンはこの考えを、傑作『ウィトゲンシュタインの愛人』（木原善彦訳、国書刊行会、2020年）で探求しています。世界に生き残った唯一の人間となった主人公ケイトの物語で、ケイトはモノローグでひたすら何度も、自分の存在の意味を問い、はたして自分は本当に存在しているのだろうかと問います。

少し前に述べた、寂しいことと一人きりでいることの違いを踏まえたうえで、著者マークソンは、主人公ケイトに「こうしたことが起きる前から実質的には今と同じくらい孤独だったのではないかという逆説だ」と考え込ませます。

独房にいたタビールは、自分が自分であるという感覚に少しでもしがみつこうと、自分に話しかけたり歌ったりして夜を過ごしました。

ときには人間同士の交流を得るためだけに、看守に喧嘩をふっかけて「セル・エクストラクション」と呼ばれる手順を促したこともありました。

セル・エクストラクションとは、たとえば食事後に食器を返すのを拒むなどして受刑者が命令に従わない場合、何人もの看守が受刑者を拘束するために武装して部屋に押し入る行為です。この行為を受けたら通常、身体には傷を負いますが、少なくとも人間との接触を得られます。

タビールは監禁されているあいだ、アウシュヴィッツからの生存者ヴィクトール・フランクルのように、看守が自分に何をしたとしても自分の「精神を征服する」ことはできないと固く決意していました。「何をするにおいても、闘うのをやめてはいけない。笑って幸福でいること、誰も恐れないこと」。そうタビールは話してくれました。最終的にタビールは病院にいるときに監禁者から逃れることに成功し、イギリスに渡って保護されました。

究極の孤独があまりにも深刻なアイデンティティ喪失の原因となる一方で、自らの意思で短い時間を一人きりで過ごすことは、ずっと軽度で有益な類いの自己の喪失をもたらします。**一人で過ごすメリットは、他人からアイデンティティを押しつけられないことです**。他人の影響から解放されて、自分が本当は誰で本当は何を考えているのか、自由にじっくりと見つめなおすことができます。自分の新しい一面を理解することもあると言う人もいます。人生の大きな決断を迫られたときにいったん周囲のすべてから解放されて一人になりたいと思う気持ちも、これで説明がつきます。

アメリカで18~25歳を対象に行われたある実験により、一人で過ごす時間と創造性の向上には関係があることがわかりました。

さきに触れた空想のメリットを考えると、これは理にかなっています。空想することで創造性が促進されることがありますが、誰かと一緒にいながら空想するのは困難です。

一人の時間は、これまでの人生で経験してきたことを思い起こし、過去の記憶を探る機会にもなるため、自分の感情の整理を助けてくれます。うまくいけば将来について最善の決断ができるでしょう。

これは、延々と会議に出てメールに返信し、「ドアを常に開けておく」という方針に真面目に従っているビジネスリーダーにも、伝えたいことです。一人の時間を増やして、より適切で倫理にかなった意思決定をしようという提案です。

1950年代末から1960年代初期にイギリスの首相を務めたハロルド・マクミランが、首相時代に毎日1時間を必ず確保して、ジェーン・オースティンやアンソニー・トロロープを読んでいた話は有名です。現代の首相にこのような機会をつくっている人がいるだろうかと、私は思ってしまいます。

一人になることは、他人に果てしなく気を取られるのを断ち切り、よい意味で自分自身を失って、考えを一新させる機会になるのです。あまりに長い時間、または常に一人きりで過ごすのは嫌ですが、短い時間であれば、一人の時間は心身の健康によい効果をもたらし、安らぎに繋がることは明白です。

■ 一人の時間？　それとも孤独？

一人で過ごす時間をどの程度自分で決められるかがカギとなります。自分の意思で一人の時間を過ごすのと、そうせざるを得ないのとでは大きく異なります。

どれほど社交好きな人でも、いつどのようにして過ごすかを自分で決められるのであれば、一人の時間も必ず楽しめるはずです。そしてどれほど内向的な人でも、一人きりの時間を強制されると孤独を感じるでしょう。

孤独問題は近年、報道機関の大きな注目を集めています。イギリスではなんと孤独担当大臣が置かれ、各省庁にまたがって孤独問題に対処しています。

BBCラジオ4では、イギリス各地の大学に所属する心理学者3名とウェルカムコレクションと共同で、BBC孤独調査というリスナーへのアンケート調査を実施しました。30〜40分かかる長いアンケートにもかかわらず、世界中から5万5000人が参加してくれました。回答を見て私たちは呆然としました。人々がどれほど深刻に孤独問題について悩んでいるかがわかったのです。

孤独は伝染すると話す人もいて、確かに孤独を感じる人の数は増えています。しかしそれは単に世界の人口が増えたからでしょう。

ところが割合を見てみると、事態はもっと複雑です。孤独な人と言われて最初に頭に浮かびがちなイメージは、家に引きこもって何週間も誰とも顔を合わせず、クリスマスを一人きりで過ごすお年寄りの姿です。

多くの高齢者にとってそれが現実ですが、ブルネル大学のクリスティーナ・ヴィクターはイギリスの1948年のデータを調べ、慢性的に孤独を感じている高齢者の割合は70年間横ばいであることを確認しました。当時もいまも高齢者全体の6〜13%が、常にまたはほとんどの場合に孤独を感じていると回答しているそうです。

BBCの調査には、別の調査の考察も反映しているのですが、なんと高齢者よりも若者のほうが、「頻繁に孤独を感じる」と回答した割合が高いことがわかりました。中年層はちょうど中間でした。

これは、孤独や一人でいることに対して私たちが抱きがちだったイメージとは異なります。とはいえ、アンケート回答者の84%は、高齢になったら孤独を感じるだろう、または感じるかもしれないと思っているようでした。ただし同時に、これまでの人生で一番孤独を感じていたのは若い頃だ、とも回答しました。

もしかすると、若い頃は一人きりの時間とうまく付き合うのが難しく、徐々にうまく付き合えるようになり、さらに歳を重ねるにつれて一人の時間を欲するようになるのが真相ではないでしょうか。歳をとるほど、一人で過ごすときの安らぎをありがたく思うようになるとも言えるでしょう。

これは感情をコントロールする能力が育まれることと関係があるかもしれません。

歳をとるメリットのひとつは、物事がうまくいかないときに自分を慰めることがうまくなる点です。目を覚ました赤ん坊が、徐々に自分で自分をなだめて一人でまた眠りに戻れるようになる（疲れ切った親にとっては大変うれしいことです）のと同じです。子どもが気を紛らわしたり広い視野で見てみようとしたりして、落ち込んだ気分から脱する方法を徐々に学ぶのとも同じです。

感情をコントロールする能力は大人になってからも育まれます。常にこのように感じるわけではない、自分の気持ちを落ち着かせる手順がある、などと経験から見識を積み重ねます。孤独に対してもこのような能力が育まれているように私は思います。不快な感情への対処に慣れ、たいてい一時的な感情だと学ぶのかもしれません。もしくは、新しい友人関係を構築したり懐かしい人に連絡をとったりして、不快な感情を和らげる手段を身につけるのかもしれません。

どんな方法をとるにしても、とにかく孤独を和らげることが重要です。**慢性的な孤独は、健康へのリスクになりえます。**

研究結果を考え直し、**「慢性的に寂しい」と答えた人は心臓病と脳卒中のリスクが3倍高く、血圧も高く、平均余命は低い傾向にある**ことがわかりました。

かなり深刻な結果ですが、もとになった研究の多くは時間を断片的に切り取った横断研究であるため、因果関係の方向づけが必ずしも正しいとは言い切れません。不本意に孤立することで体内の不調が増え、それが病気に繋がっている可能性はあります。でも、逆もありえます。先に健康状態の悪化があって、病気のせいで外出しづらくなるために孤独になっていくのかもしれません。

または、孤独が健康に気を遣う意欲を奪ってしまうために、統計には孤独な人の健康状態が悪いと現れるのかもしれません。もちろんこれだって、逆もありえます。

何が起きているのかを正確に解き明かすのは困難ですが、孤独を感じたことのある人なら誰でもわかることを、研究結果は明確に伝えています。

孤独は、心身の健康に大きな影響を及ぼすということです。孤独が悲しみに変わることもあり、睡眠の質にも影響するとデータが示しています。

孤独を感じるあまり、社交の場から距離をとって他人からの拒絶のサインに過敏になり、さらに孤独が深まるという悪循環もありえます。

研究が明かしたのは、**孤独だと感じている人はそうでない人と比べて、1年後にうつの症状を有するようになる可能性が高い**ことです。

社会的単位の細分化とコミュニティの分離が進む現代で生活する私たちは、孤独とは現代ならではの現象であると思いがちです。

しかし、孤独と一人の時間の両方の歴史を研究する歴史学者のバーバラ・テイラーは、「loneliness（孤独）」という言葉が常に用いられてきたわけではないものの、寂しいという不快な感情自体は古代から表現されてきたと指摘しています。

16世紀以前は「lonely」という言葉は人にはほぼ用いられず、ぽつんと離れた何かを描写するときによく使われました。ぽつんと1本生えた木、建物、またはワーズワースが詩にした雲などです。

現代社会では人と人との結びつきが弱まっているという考えが広まるにつれ、年月をかけて「loneliness」という言葉がより頻繁に使われるようになりました。

「loneliness」からは全体的にマイナスなイメージを受けますが、「solitude（一人でいる時間）」のほうは実に歴史学者泣かせだと、バーバラ・テイラーも認めています。何世紀にもわたり、ときにマイナス、ときにプラスの意味を持ってきた言葉だからです。17世紀以前は「solitude」は田舎の暮らしを指すことが多かったようです。多くの富裕層は「solitude」へと退くこと、つまり田舎への隠居を希望していましたが、隠居といっても一人きりになるわけではありません。使用人、家族、ときには親しい友人も連れて移住しました。

古代には、一人になることでのみ思考が真実にたどり着ける、という考えが広くありました。神のような存在であり一人で生きられた哲学者にとってはよくても、学のない者にとっては危険な考えでした。

危険という感覚は、バーバラ・テイラーが指摘している、人間が孤立に対して時折抱いてきた見方と合致します。孤立は不自然で倫理に反しており、孤立するのは「人間嫌いの利己主義者、市民としての責任を負わない」人間であるという見方です。

一人で過ごすと「創造性が解き放たれる」点も、不安のひとつでした。ペトラルカもモンテーニュもワーズワースも、それぞれ14世紀、16世紀、18世紀に、一人きりになることには利点もあるが苦痛や不安をもたらしうると書いています。「solitude」と「loneliness」をどちらも「孤独」と表現する現代の日本でも、同じことが言われています。

日本では孤独は非常に前向きに捉えられているようで、孤独についての本は何百とあり、なかには「孤独の力」や「孤独は美しい」などと題されたベストセラーもあります。一人暮らしをする女性の人数は一人暮らしをする男性の2倍いて、いまも増えつづけています。

東京在住の著者、岡本純子は、企業で定年退職を迎える人に対し、一人きりで過ごすことが持つマイナス面の意識喚起に取り組んでいます。孤独が美化されて、痛ましいほど孤独に苦しむ人がいる事実が隠れることを懸念しているのです。

集団主義的な国として知られる日本では社会関係資本が弱いうえ、職場では年功序列が色濃い傾向があるため、深い友人関係を結ぶのは難しそうです。勤務時間が長く、定年退職までは趣味や友人に割く時間をあまり持てません。

そのため定年退職は一大事です。もしかすると、孤独を賛美する本が孤独は尊いものだと提示することで、多少の安心感を与えているかもしれません。

それでも岡本純子は、多くの人が自らの意思で一人暮らしをしているわけではないと危惧しています。皮肉なことに、この意見は少数派のようです。孤独のマイナス面をメディアで強調しようとすると、放っておいてほしい、一人の時間が安らぎになるのだから、というコメントが寄せられるのです。

一人で過ごすことへの賛否両論は、何もいまに始まったことではありません。

ドイツの小説家トーマス・マンは、「孤独は独特なものを生み出す。大胆で異様に美しいものを、詩を生み出す。しかし孤独はまた倒錯したものを生み出す。均衡を欠いたものを、不条理で許されないものを生み出す」――『ヴェネツィアに死す』(岸美光訳、光文社、2007年)と書きました。

孤独に惹きつけられていた偉大な作家、エミリー・ディキンソンとサミュエル・ベケットを読んだ人なら、マンが摑もうとしていたことがわかるのではないでしょうか。

私たちは一人きりになりたいと同時に、一人きりを恐れています。そして一人きりを望む人を不審な目で見ます。

誰かの誘いを受けて、一人で夜を過ごしたいから、と言って断る人はなかなかいないでしょう。友人と過ごすよりも一人を好むのは不可解なので、言い訳が必要となります。「ごめんなさい、髪を洗わなくちゃ」というデートの断り文句のジョークがありますが、一人きりで過ごす口実にも聞こえます。

一人になりたいという欲望は病的な感情と思われることが多く、一人きりで過ごしたがる人は「わがままで反抗的、理性を失う危険のある人」とみなされます。「loner（友達がいない人）」は褒め言葉ではなくマイナスの意味でよく使われ、反社会的行動や人格障害ではないにしても、少しおかしな人だと言いたげな表現です。小児愛者や連続殺人犯の描写にこの言葉が使われる頻度を考えてみてください。

ウィリアム・トレバーの受賞歴のある小説『フェリシアの旅』では、無防備な若い女性を襲う陰湿極まりない男性ヒルディッチが、亡き母の家に一人で暮らし、イワシの缶詰を開けて夜食にし、寝床に向かう前にオバルチン［庶民的な麦芽飲料］を1杯つくって飲む生活が描かれています。

この一人きりの生活が背筋をぞわっとさせる不気味な要素となっています。一人の時間をいくらか持つのはよいことでも、孤独な生活をあえて選ぶと、健康と正気を損なう恐れのある風変わりな行為と見られます。人づき合いを嫌う人を、私たちはつい警戒してしまいます。

■ バランスをとる

休息を得る目的で一人の時間を求めるとき、言葉は変わってもやはり同じ懸念が付きまといます。どう過ごせば、一人の時間が孤独な時間にならずにすむのでしょう？

そもそも、**みんなが一人の時間から安らぎを得るわけではない**と、知っておくことが重要です。

休息調査で上位に入ったとはいえ、一人で過ごすことで日々の問題について思いを巡らせてしまい、悲しくなったり落ち込んだりする人もいます。

クリストファー・ロングとジェームズ・エイブリルによる研究は、一人の時間が癒やしとならない人もいることを明らかにしました。

一人を嫌う人は、テレビを見たり誰かに電話をかけたりなど他人と繋がることのできる何かをして、一人の時間を紛らわそうとする傾向が強いようです。不安を感じ、取り残されたような気分になるからです。

予想どおり、内向的な人のほうが一人で過ごすことに乗り気です。一人でいるときに一番気分よくいられる人は、誰かと過ごすときには普通よりも気分が落ち込む傾向にあります。

一方で、他人といるときに喜びを感じる人は、一人でいると悲しい気持ちが増幅することがあります。しかし、休息が目的なら、外向的な人のほとんどが、一人きりで行う活動に最も安らぎを感じると、休息調査でわかりました。

私たちは子どもの頃から、もしかするともっと早い時期から、一人の時間を楽しむ力をだんだんと身につけます。赤ちゃんですら、刺激が多すぎると感じたときには人の顔から目をそらします。

心理学者ドナルド・ウィニコットの研究は、世の親たちを勇気づけるかもしれません。完璧な母親ではなく「適度によい母親」であればいい、という考えが述べられています（1970年に書かれたものなので言及対象は母親のみです）。

またウィニコットは、子どもが短時間一人でいることを徐々に楽しみはじめることの重要性も述べています。子どもの発達過程の面では大きな成長なのだそうです。ウィニコットは子ども時代の一人の時間を「最も重要な財産」と呼びました。

7〜12歳の子どもを対象にしたギリシャの研究は、小学生でさえ一人の時間が有益なものであると理解していることを示しました。

年齢が上がるほど、子どもは一人の時間がもたらすメリットを数多く挙げました。平穏さ、静けさ、リラックスできること、深く思考できること、集中、問題解決、計画作成、空想、批判からの解放、不安や緊張の緩和、怒りの軽減などです。

彼らの3分の2が、時折一人きりになりたいと願うのはごく普通の欲望だと認識していました。

アメリカとヨーロッパの思春期の子どもは、平均すると一日の約4分の1を一人で過ごします。学校にいる時間や友人といる時間をこれに足せば、家族と過ごす時間よりも長くなります。そして成長するほど、一人の時間を大切に感じるようになります。

この考察は、ベルギーのフランデレン地域で行われた研究結果によく似ています。ティーンエイジャーを数年間追った調査で、一人で過ごす時間への恐怖心は、18歳に近づき自立するにつれて消えることがわかりました。まず一人の時間を前向きに捉えはじめるのは女の子で、すぐに男の子も追いつくようです。

ティーンエイジャーの一人の時間の量には「スイートスポット」があると言われています。これはシカゴ近郊の四つの地域で10~15歳を対象にした調査から明らかになりました。被験者の端末に一日7回通知し、そのときに誰と一緒にいたか、どんな感情を抱いていたか、自らの意思でその人と一緒にいたかなどのアンケートに答えてもらいました。

一人の時間を好む子どもは、親や教師から見て精神のバランスがより整っていました。ただし、一人の時間の長さが重要でした。多すぎたり少なすぎたりすると、気持ちはマイナスに傾きました。

では、最適な長さはどのくらいだったのでしょう？　理想は、授業以外の時間の25~45%を一人で過ごすことでした。うれしいことにこの章のはじめのほうで述べた、私たちが一人で過ごしている平均的な時間とだいたい同じです。私たち大人も、一人の時間の適切な量を直観的に理解できていることがわかります。

一人で過ごすことは、場所によっては違う意味合いを持つことは当然あります。学校では、授業中もそれ以外でも生徒は社交的であるよう求められます。

休み時間に一人で過ごしたり本を読んだりするのを好む生徒は、友達がいない少し変わった人と見られます。友達と遊んだり喋ったりするのが「普通」の過ごし方なのです。

もちろん、休み時間を一人で過ごす生徒全員が、好きで一人でいるわけではありません。誰かを仲間はずれにすることにおいては、子どもは残酷になりえますから。

さらに、学校が持つ交流を促す性質が、友達を多く持たない生徒の孤独感を倍増させます。

BBCの孤独調査への回答として、目が不自由な20代の女性が、かつて学校の昼休みに味わった孤独について、胸が痛くなるブログ記事を書いてくれました。誰か話し相手を見つけるためのちょっとしたコツも添えて。

たとえば、教室のドアを開けておいたり、話題を前もって考えておいたりすると、通りかかった教師と会話ができる可能性があります。誰かが子猫を飼いはじめたと耳にしたなら、それについて尋ねてみます。教師は生徒を無視するわけにもいきません。ちょっとした会話だとしても、生徒の気持ちは大きく救われます。

幸い、大人になって働くようになる頃には、休み時間に交流を求められる状況はかなり減ります（もちろん、住む地域にもよるでしょう。日本や、最近で言えばカリフォルニアのＩＴ企業などでは求められるのかもしれません）。

しかし、休み時間の過ごし方を自分で選べる場合は、この章を通して見てきたように、一人の時間を楽しめるかどうか、安らぎを得られるかどうかのカギとなるのは、自分の意思が伴っていることです。もちろん、他人と過ごす時間に関しても同じです。

■一人の時間は安らぎを得られる

一人の時間が辛いものではなく安らげるものになるかは、自分が構築した人間関係の性質と強さによると、理解しておくことが大切です。

心理療法士ジョナサン・デトリックスは人間の一人の時間への向き合い方を、愛着についての心理学研究を通して考えてきました。

親にしっかりと愛着を持つ幼児は、親を安全基地と見て、そこを起点に安心して周りを探索します。このくらいの幼い時期の子どもは、時折面白がって逃げ回ることはあっても、基本的には親と物理的に近くにいることを望みます。

しかし成長するにつれて、親から離れて過ごしたり一人きりで過ごしたりすることに慣れていきます。大人になる頃には多くの人が親元を離れ、親と会うことも少なくなります。パートナーとの関係が軸になったり、一人暮らしをしたりします。どう暮らしたとしても、誰かとのあいだに強い愛着を形成している人は、一人でいるときに孤独を感じる可能性が大幅に減ります。

愛着を持つ相手は必ずしも常に近くにいる必要はありませんが、いつでも頼れる相手だと認識している必要があります。

アブラハム・マズローは、人間の欲求5段階説で有名な心理学者です。たいていピラミッドの形で表現され、生きるために必要な食料や住居などへの欲求が一番下の階層に、愛情や評価などへの高次の欲求は上のほうの層に入ります。

一番幸福な部類の人間は、一番上の階層にある「自己実現」を達成し、ピラミッドのさらに上に位置しています。自分の能力をすべて把握し、自分がなることのできるすべてになろうとしている人々です。素晴らしく満ち足りた状態に思えます。

残念なことに、マズローによるとそこまで到達する人は全体のわずか2%だそうです。しかし近年、この計算は正確とは言えないと批判を浴びています。

マズローは自己実現を果たした人物を主観的判断で決め、アインシュタイン、ベートーベン、エレノア・ルーズベルト、そして面白いことに自分の名を挙げました。自分たちはみな創造的で自発的、他人を気遣い、ウイットに富み、不確かなものに辛抱強くあり、自分を認める力があると評しました。

また、あらゆる物事が最高に素晴らしく感じられ、いまこの瞬間に完全に留まりほかに何も意識をしない状態、いわゆる「至高体験」を、自分たちは日常的に経験していたともマズローは述べました。

私がこの話を紹介した理由は、**マズローが、自分たちのような幸運な自己実現家は一人の時**

間を人一倍多く持つようにしていたと、考察していたからです。

私たちがこの章を通して見つけ出した結論を裏付ける発言です。バランスがとれて満ち足りた生活のなかで自ら進んで一人になるのが、最も充実した価値ある一人の時間である、という結論です。

真の休息を得るためには、他人から距離をとる必要があります。他人のお喋りから遠ざかり、できれば自分の頭の中のお喋りからも遠ざかる必要があります。

適切な量であれば、一人の時間は、社会から距離をとって自分の感情と向き合う機会となり、うまくいけば元気を取り戻すきっかけになります。また、より深い思考や自分についての発見を促し、創造性や新しいアイデアを刺激してもらえる可能性もあります。

一人の時間をスケジュールに入れるべきでしょうが、自分に強要してしまっては、メリットが台無しになります。一人の時間の魅力は押しつけられたプレッシャーから逃げられることなのだとしたら、別のプレッシャーを自分にかけることだけはしてはいけません。他人からの評価なしに、そして社交的な顔を保つ必要なしに過ごせるチャンスなのですから。

ソーシャルメディアは、人と人を繋いで孤独を軽減させる素晴らしい手段にもなります。一方で、「常にオンの状態でいる」という新しい文化が、プレッシャーから逃れにくい状況を生んでもいます。

ソーシャルメディアに一人の時間のメリットを奪われないよう、どうにか策を練らなければ、安らぎは消し去られてしまうでしょう。そもそも、常に誰かとやりとりしていて正真正銘の一人の時間と呼べるのでしょうか？

この章を質問で終えたいと思います。一人で過ごすのに最適な場所はどこでしょう？「通常どこで一人の時間を過ごしますか？」と尋ねると、家という回答が主流です。しかし、**「一人の時間をどこで過ごしたいですか？」と尋ねると、違う答えが得られます。自然のなかで、という回答が多くなります。**次の章では、自然に注目していきます。

人気の休息

第2位 自然のなかで過ごす

THE ART OF REST

■自然は人に安らぎを与える

この本のあちこちで、何もしないことがどれだけ大変かを紹介してきました。

マインドフルネスのような実践法は効く人には効きますが、その規律や手法を面倒と感じる人もいます。

自然のなかに行くことが評価される理由がここにあります。何も喋らずに山の頂上に座って谷間を見渡すとき、あなたは何も、またはほぼ何もしていません。それなのにどういうわけか、ソファーでのんびりするのとは真逆の行為に思えます。

同じように、川岸に寝そべって水の流れを見るのは、どういうわけか、ベッドに寝そべるよりも有意義な行為に思えます。田舎で外に出たとき、怠惰な過ごし方をすることが多くなりますが、それは許される怠惰です。ただ**自然のなかにいるだけだとしても、あなたは何かをしています**。意味ある行為なのです。

あなたのお気に入りの場所について、ちょっと考えてみてください。屋内でも屋外でも、どんな場所でもかまいません。ひとつ答えを決めるまで、この先を読まないでください。

自分の部屋、もしくは行きつけのカフェやパブを選びましたか？　それとも自然のなかのどこかを選びましたか？　答えは気分によっても変わるかもしれません（自然について考える章でこの質問を投げかけることで、すでに答えを歪めてしまっていますが）。

フィンランドの2都市で行われた研究で、被験者は地元の一番好きな場所と好きではない場所を地図上に記し、そのときの気分に関するアンケートに回答しました。

交通のハブとなる場所は、圧倒的に不人気でした。また、人々が本当に好きな場所は、そのときの気分に左右されました。**回答時に前向きな気持ちだった人は自分の家の居間など居住空間を答え、落ち込んでいた人は自然に関連する場所を挙げる傾向が見られました**。

幼児の頃から私たちは、感情をコントロールする方法をだんだんと身につけます。怒ったときには部屋を去ったり、悲しいときには明るい音楽を聴いたりなど、時に意識的に自分の気持ちを落ち着かせる行動をとります。無意識にするときさえあります。仕事でとりわけ苦労した日には、帰宅途中にふと気がつくと近所の公園に寄り道していることもあるでしょう。

自然には人に安らぎを与える何かがあること、それも特に人の気分が落ち込みがちなときに効果があることを、多くの人が本能的に知っているようです。不思議なのは、現時点ではその「何か」が具体的には何なのかを、科学がなかなか突き止められずにいることです。

自然は心を落ち着かせてくれると、私たちは知っています。日本では森林で過ごすことにセラピー効果があると見て、「森林浴」という言葉が用いられるほどです。リラックスできる景色を患者に思い描かせるとき、砂浜に太陽が輝く光景や山の風景を提案するそうです。

私たちが理想として描く自然の風景には、見た目的にも時間の面でも固定したイメージがあることは否めません。誰かが田舎に移住すると聞いて思い浮かべるのは、まぶしい夏の日中に屋外での遊びを楽しむ姿であり、帰りの電車が遅れたので凍てつく夜に暗い田舎道をとぼとぼと歩いて家に帰る姿ではありません。

自然のなかで過ごすことを「治療」と言い切る人もいます。

作家リチャード・メイビーがうつ病になったとき、メイビーが昔から自然愛好家であることを知る友人は、田舎を散歩してはどうかと彼に勧めました。かかりつけの精神科医は、アカトビが飛ぶ姿を見られる場所まで車で連れて行くと申し出たほどです。しかし、いずれも効果はありませんでした。

ノーフォークのメイビーの家を訪ねた私に対して、メイビーは「うわべだけの自然治療法」はむしろ逆効果しか生まない、と話してくれました。「かつて私の心を動かした言葉を超越した何かに、精神的な反応がないまま向き合っても、気分は悪くなるばかりでした。最悪でした。人生で最も大切だったものともう繋がり合うことができず、拒絶されたように感じました」。

しかしイースト・アングリアに移住して恋に落ちると、メイビーは徐々に回復しはじめ、やがてまた自然から強烈な影響を受けるようになりました。「自然の並外れた移ろいやすさが私の心に響いたのだと気づきました。海沿いの塩水の沼地を10分間眺めていると、最初に見た光景とは完全に違う景色になります。こうした変化と変化からの回復という感覚が、私の精神に深く根を下ろしました。何よりも深く感動したのは、自分も生命体の一部であること。生命体とは、私たちが田舎に対して抱きがちなイメージのように、恐ろしくて不変で泥にまみれたものではなく、とりわけ水を推進力とした、絶えず流動的で適応性のある仕組みなのだと気づいたのです」。

自然はいつでも心を落ち着かせる力を持つのか、またそうだとしたら何の要素が必須なのか、科学を用いて証明するのは簡単ではありません。

リチャード・メイビーにとっての必須の要素は、自然が持つ、常に変容しつづける性質でした。

研究者のなかには、緑の植物が必須だと考える人や、都会のせわしない環境との対比を重要と見る人、自然の風景に人間の介入がいっさい見られない点が必須要素だと考える人もいます。

■ 自然は眺めるだけでも癒やしになる

ペンシルベニア州のある病院で、建築学教授のロジャー・ウルリッヒがこの分野の先駆けとなった有名な実験を行いました。得られた結論は、**自然の力を享受するには外に出る必要すらない**、というものでした。ただ見るだけでいいのです。

１９８４年に「窓からの眺めが術後の回復に与えうる影響」と題された研究が発表されました。

胆のう手術を受けた患者のうち窓の外に木々が見える病室に入れられた人は、煉瓦の壁が見える病室に入れられた人と比べて、痛み止めの服用量が少なく済み、ほぼ丸一日早く退院したという内容です。30年以上経ったいまでも、この研究は頻繁に引用されています。

ところが詳細を見ると、それほど説得力があるとも言えないのです。煉瓦の壁よりも木々が見えたほうがいいとほとんどの人が思うでしょうが、ウルリッヒの研究で患者の回復に働きかけたのは本当に自然の風景なのか、絶対的な確信は持てません。

ウルリッヒは1室わずか23名の、合計9年分になる医療情報を見て、結論を出しました。これほど少ない被験者数では、２部屋に分けられた患者たちにほかに環境の違いはなかったのか、受けた医療ケアの質に差はなかったのか、わかりません。

煉瓦の壁が見える部屋のほうがナースステーションに近く、そのためもともと症状の重い患者がそちらの部屋に入れられた可能性もあります。そうなれば、入院期間が長かったことも説明がつきます。看護師が近くにいて痛み止めを求める患者に対応しやすかったために、痛み止めの服用量が増えたことも考えられます。

しかし、およそ10年後に同じ研究チームが、設定を強めて追加研究を実施しました。今度は、患者たちは本物の自然を見ることとすらしませんでした。写真で見たのです。

スウェーデンのウプサラ大学病院で心臓の手術を受けた患者たちが、壁に大きな写真が飾られた病室で回復期を過ごしました。一部の患者は木々が列をなして並んだ写真や森の写真を、また別の患者は抽象画、真っ白なパネル、または何もない壁を見て過ごしました。

今度は患者たちがさまざまな部屋にランダムに割り当てられたため、より説得力のあるとても興味深い結果を得られました。

自然にまつわる2種類の写真を見ていた患者のほうが、不安を感じる度合いが低く、痛み止めの服用量も少なく済みました。

はっきり言うと、**自然を眺めることで病気が治るわけではありません。ですが、この研究に**

より、自然を眺めるとよりよく休めるという考察が得られました。

休息は身体の回復を早めると知る医師にとっても、とても興味深い結果でしょう。

長年にわたって数々の研究がこれに続きましたが、たいていサンプル数がとても少ないか、自らの意思で自然のなかですでに長い時間を過ごしてきた人を対象にしており、どんな人でも効果を望めるのかどうかはわかりません。一方、屋外に設置したエアロバイクから、精神障害を抱える患者が経営する農家まで、ありとあらゆる状況を使って研究が進められてきました。人間が直観的に感じとっている、自然は安らぎをもたらす聖域だという説を何とか証明しようとしたのです。

いくつかの研究は、屋内よりも屋外を歩くほうが心の落ち着きと精神の安定に繋がりやすいことを示し、自然が持つ癒やしの力は真実だと証明しました。

別の研究では、カギとなるのは自然のなかで過ごすことではなく歩くことだと示しました。歩きさえすれば場所は関係ない、というのです。またある研究では、外で運動をした場合は運動後に心の落ち着きを得にくいという結果を得ました。

もっと最近の研究では、**極端に短い休憩をとって自然を写した写真を見るだけでも、気分に変化を起こせる**と明らかにしています。

極端に短いとは、文字どおり本当に短い休憩を指します。たったの40秒間です。

この実験では被験者にパソコンを使った複雑な課題を与え、その後に極端に短い休憩を挟みます。

休憩では、灰色のオフィスビルの何もない屋上の写真か、同じ屋上が草木で覆われているように加工した写真を見せます。予想どおり、被験者たちは緑に覆われた屋上のほうを好みました。

この写真を極端に短い時間見ただけで、被験者のその後の集中力に違いは出たのでしょうか？　はじめのうちは特に違いはありませんでした。休憩のリフレッシュ効果のおかげで、全員の課題の出来が少しよくなりました。

しかし数分後、殺風景な灰色の屋上を見た被験者たちの集中力が衰えはじめます。一方で、緑の屋上を見た被験者たちの集中力は、ほんのわずかに下がっただけでした。

この結果は、自然はリフレッシュの効果を持ちうると示しています。**仕事で疲れを感じたときに一瞬だけでも外に出て緑を眺めるチャンスがあるのなら、そうする努力をするべき**だと示唆しています。「勤務時間中にどこへ行くんだ？」と上司に怒鳴られたとしても、心配はいりません。「生産性を上げるために一瞬出てきます」と返せばいいのです。

■　〝ボーントゥビーワイルド〟

自然のなかで過ごすことには治療的効果もあるという説がどんな状況でも正しいと証明する

には、まだ研究調査が不十分ですが、とりあえずは額面どおりに受け入れましょう。

次の疑問は、なぜ自然からそれほどの安らぎを得られるのかです。

一部の研究者は、人間は自然を愛するように進化してきたと提唱しています。みんなが自然のなかで暮らしていた時代には、環境によく適応できた人間が生き残ってきました。いまはほとんどの人間が町や都会に住んでいるとしても、この性質を受け継いでいるという主旨です。病院の窓の件で名声を得たロジャー・ウルリッヒは、草木が豊富な自然風景が特に人を惹きつけるのは、草木が脅威のなさ、つまり食料の豊富さを表すからと考えています。サバンナにできる限り似ている場所を人間は好むと言うのですが、私はこれに納得できません。

たしかに草木の多い自然風景は好きですが、私にとってそれは、なだらかにうねる緑の丘や川の流れる谷間、私が眺めて育った昔からのイングランドの風景です。この愛情が、何千年も前にサバンナに暮らしていた先祖にどう繋がるのか、理解できません。いずれにせよ、私はサバンナと聞くと豊富な草木というよりも、乾燥した茶色い風景が頭に浮かびます。

人間が好む樹形は、丸みのある形や円すい形などよりも、サバンナに生える上の葉の部分が広がった樹形だという説さえあります。たくさんの人間が、過去4万年間、そのような木が生えない場所、たとえば森林限界を越えた高山や砂漠、南国の島で暮らし、進化してきています。アフリカ全土がサバンナなわけでもありません。

ここでも私は、イギリスのオークやしだれ柳を推したいです。それと、英国式庭園の芸術的な刈り込みも割と好きです。私の一番好きな庭候補である、イースト・サセックスのグレート・ディクスターにあるようなものです。

また、自然の風景に惹かれるのは、見た瞬間に住みやすそうだと感じるから、という説もあります。都会の景色には抱かないような感覚です。

私は、これはその人が何に慣れているかによると思います。個人的には砂漠や森が広がる景色よりも、家が建ち並んだ景色を見たときに住みやすそうだと感じます。

また、草木が本当に必ず安心感を与えるかにも疑問を感じます。サバンナに生える背の高い草の中にはライオンが潜んでいるかもしれません。

同様に、濡れずに絶景を楽しめるようつくられた板張りの歩道から眺める滝は美しいかもしれませんが、いかだで穏やかな川を下っているときに突然急流にさらわれて滝の上まで押し流されたら致命的です。

人間がここまで生き延びたのは、協力し合い、定住地に集まって生きてきたからであり、恐ろしい捕食動物が待ち構える自然のなかを休息を求めて一人でぶらぶらしてきたからではありません。もしも、どこで安らぎを得るかに人間の進化が本当に関係あるとしたら、私たちは広大な自然の真ん中ではなく安全な家の中のほうに安らぎを感じているはずです。

進化心理学分野のこうした仮説が抱える課題は、実証が困難だということです。好きな樹形を人々に尋ねてこれが文化を超えても同じかどうかを確かめることはできます（計画や手配が非常に難しいためこのような調査はほぼされていませんが）。

でも、ある樹形が世界的に好まれていることを立証したところで、その好みが人間の生存や生殖にどう役立ったのか、または、生存や生殖に役立った別の特性の副産物としてその好みができただけなのか、推測しなければなりません。

しかも、この別の特性には好きな仮説を何でも突っ込むことができてしまいます。たとえば、女性が家に残って子育てをするからとか、男性は暴力的にならずにはいられないから、などです（男性にとっても女性にとっても公正を欠きます）。

オランダとベルギーの研究者、ヤニック・ヨイとアグネス・ヴァンデンバークは、草木あふれる風景を眺めると前向きな気持ちになるよう人間は進化してきた、とする主張に対し、いくつかの欠陥があると、明快で、正直に言えばなかなか愉快な批判をしました。

たとえば、自然を見ると即座に心が落ち着くことを証明した研究がいくつかありますが、それほど素早い反応が人間に備わった理由は確かめられません。

草木をふと見つけたときに心を即座に落ち着けることのメリットはあるでしょうか？　ライオンに出くわしたときに闘うまたは逃げるといった反応をするのとは異なり、草木はどこへも逃げないので急いで反応する必要はないはずです。

安全に休息をとり、リラックスして元気を回復させるための場所が昔の人々に必要だったこと、特に効果が見込める場所があったことは認めたいと思います。ただ、自然のなかで過ごすという話になると、田舎であればあるほどいいとは言えない部分があります。

スイスのある実験では、被験者の半分は野生のまま放置された森の中を散策しました。もう半分は、伐採されたばかりのマツの木がきれいに積み重ねられた、管理された森を散策しました。

散策後に被験者たちの気分を測定すると、よい変化が見られたのは野生の森を歩いたグループではありませんでした。管理された森を歩いた人々のほうが、もう一方よりもずっとよい気分になったのです。

少なくともこの実験では、人の手が入った自然のほうが野生のままの自然よりも効果的であることがわかりました。

当然、自然の美学は時代によって、また文化によって変わります。一番魅力的な風景の絶対的イメージなどないうえ、「自然の」風景とされるものにも想像以上に人の手が入っていることが多くあります。

ハイランド地方は一般的にはイギリス随一の未開の地とみなされていますが、それでも森林伐採や牧羊、ライチョウ狩りによって形作られてきました。何世紀にもわたり、ここの山々、荒野、湖は厳しく荒涼とした風景と受け取られてきました。18世紀末にロマン主義が生まれ、初めて同じ景色が美しく穏やかなものと見られるようになったのです。

もっと身近な話で言えば、ある人にとって素晴らしい植物は別の人にとっては雑草です。ロンドンで大切に手入れをしている私の大好きなアガパンサスは、ニュージーランドのある地域では有害な外来種に分類されています。


進化論が暗に示すのが、自然のなかで過ごすことは「人間の運命の一部」であり、だから安らぎを感じるのだという考え方です。この説にも私はもの申したいと思います。

都会で生まれ育った人にとっては、田舎は泥だらけで臭くて居心地が悪く、恐ろしささえ感じる場所かもしれません。

北ロンドンで育った（いまもそこで暮らす）私の友人は、牛でいっぱいの野原を突っ切るのは二車線の混み合った道路を走って渡るよりもずっと恐ろしいと言います。

都会育ちの人は、人が刺されたりパトカーや救急車のサイレンがひっきりなしに鳴ったりする夜の路地を歩くのにも慣れています。都会育ちの人を怖がらせるのは、フクロウの鳴き声以外何の音も聞こえない、田舎の小屋で過ごす夜です。命の危険を感じるのです。

イングランドの田舎の散歩も、アルプス山脈のハイキングも、ジャングル散策でさえも私は好きですが、アマゾンでナイト「サファリ」を体験したときは本当に恐ろしい思いをしました。

案内役が明るいたいまつを掲げてはいましたが、細い道に張り巡らされた蜘蛛の巣をひたすら飲み込み（そう、**飲み込み**）ながら歩き続けました。

イングランドの森林を心から愛する熱心なファンでさえ、森の中で一晩過ごすとなると、映画『ブレア・ウィッチ・プロジェクト』や、『たのしい川べ』でモグラが森で夜を過ごすシーンが思い起こされるのではないでしょうか。

もちろん何千年もの間、人間は田舎で食料を見つけ、住居をつくり、くつろげる場所としてきました。でも、野生動物やほかの人間に襲われ、風雨にさらされ、恐れを抱き、病気になったり命を落としたりしてきた場所でもあるのです。

これをなかなか的確にあぶり出した小規模な実験があります。田舎の公園で2種類のルートを用意し、学生たちに歩かせるものです。

学生の半分は、遠くまで見渡すことができて迷う心配のない、開けたエリアを歩きました。もう半分は、見晴らしがあまりよくない、茂みや藪（やぶ）の多いエリアを歩きました。

開けた場所を歩いた学生のほうに、元気が回復したと話す人が多かった一方、茂みの多い場所を歩いた学生は、何かが隠れられる場所が多かったため危険を感じ、強く警戒心を抱いたと話しました。

これは、ごく当然の感覚でしょう。休息になる活動の上位に「自然のなかで過ごすこと」を挙げた人は、進化心理学的な深い要素に影響されたわけではないと私は思います。もう少しさりげない文化的な影響があったのではないでしょうか。

特に、多くの人が慌ただしい都会で長時間過ごしていることを考えれば、美しく穏やかな田舎で過ごす昼間は、心安らぐひとときでしょう。でも、**田舎で過ごす時間に、暗い森で越す寒々しい夜や、開けた荒野で横殴りの雨に遭うことが入ってくるなら、安らぎをもたらす場所とは到底言えない**はずです。

■ 心配事から解放してくれる

人をリラックスさせる自然の効能が進化の歴史によるものではないなら、別の理由を探す必要があります。

自然は不揃いに見えますが、実はフラクタルな性質を持つものも多く、同じ形が限りなく細かい倍率まで延々と繰り返されます。

海岸沿いの岩が、ときに大きくときに小さく同じ形を何度も繰り返してできている風景を思い描いてみてください。または、大きさはさまざまでもどれも同じようにもこもことした雲でもかまいません。1本の木だってそうです。どの葉も同じ形に統一されていて、小枝はどれも大きな枝をそのまま縮めた形です。

心理学者の発見によれば、風景のなかに繰り返しがあればあるほど、人はその景色を好きになるのだそうです。

これを説明する仮説のひとつは、繰り返しがあると、精神的な負荷なしに脳が素早く画像を処理できるというものです。反対に都会の景色を見るときには、多様な建物や橋、乗り物を認識しなければなりません。

つまり、**田舎の景色は脳に負担をかけることなく、意識を整える余裕を与えてくれるため、見た後に気分が少しよくなるのです。**これが元気を回復させる理論だと言われています。

ざわざわとしたオフィスで集中しづらいときは、昼休みに10分間静かな公園で過ごしてみるだけでも、効果を感じられるでしょう。

ここでもやはり、お喋りな頭の中を静かにさせることが休息のカギなのでしょうか？　それも、特に気持ちを落ち込ませるネガティブなお喋りを。

スタンフォード大学の実験が、自然のなかで過ごすときの脳に何が起きているのかを知る手がかりを示しています。

実験のはじめに被験者たちは脳スキャン装置の中に横たわり、脳内に反すう活動が見られるか、つまりネガティブなことを思い悩む兆候が見られるかを、調べられました。

スキャン結果を補完するため、被験者は、どの程度ネガティブなことに意識を集中していたかを聞くアンケートに回答しました。

その後、全員が90分間の散歩のスタート地点へと運ばれます。それぞれに道順が示され、道中で興味を惹かれたものを何でも写真に収めるよう指示を受けます。

実はこの写真の指示は、実験の真の目的から被験者の注意をそらすための策略にすぎません。またGPS探知と併せて、被験者が本当に道順どおりに歩いたか、ずるをして近くのカフェに向かわなかったかを確認する目的もありました。

道順のひとつは自然コースで、研究チームは「オークや自生の低木があちこちに生え、たくさんの鳥に、時折リスやシカとも出合えるカリフォルニアの開けた草原」と説明しました。なんとも素敵です。

でも実は、単にスタンフォード大学の敷地の外を歩くコースでした。私はそのキャンパスに行ったことがあり、たしかに緑豊かな青々とした場所でしたが、実験の散歩コースではパロアルト（フェイスブック本社で有名）やマウンテンビュー（グーグル本社で有名）などの市街地や、それほどきれいとも言えないメンローパークなどを通ります。つまり、現代的な世界を思い出させるものがたっぷりと含まれています。それでも、なかなか素敵な散歩コースです。

もうひとつの都会コースでは、その近辺で最も都会的と言える道を歩くのですが、サンフランシスコの物乞いがいる繁華街だとか貧困が脳裏をよぎる人口密集地域などとは異なります。

このコースは「エル・カミーノ・レアル」［スペイン語で「王の道」］と呼ばれました。片側3車線以上ある幹線道路ではあるものの、ほとんどの建物は1～2階建てのため空が広く見え、道路の両脇には大量の木々と薄いブルーの巨大なアガパンサスが植えられていました（とにかく巨大すぎて私の庭のアガパンサスが赤ちゃんに見えました）。

飛び抜けて美しい道ではありませんが、舗道は道路から少し距離をとって敷かれており、私が近くのモーテルに泊ったときには何度も朝のランニングコースに選んだほど、十分に快適な道でした。

というわけで、研究チームが選んだルートは徹底的に自然だらけでも、都会でもありませんでした。これは実験の欠陥のように聞こえるかもしれませんが、不思議なことに実験結果をいっそう興味深いものにしました。

散歩から戻った被験者たちは、反すうに関するアンケートに再度答え、その後脳スキャン装置に入ります。どんな道でも90分間ぶらぶらと歩いたなら頭の中はすっきりしそうだと思うかもしれません。

しかし反すうのレベルに低下が見られたのは、自然コースのみでした。脳スキャンの結果もこれを裏付けました。**自然コースを歩いた被験者のみに、前頭前野の部位の不活性化が見られたのです**。悲しみや反すう、引きこもろうとする感情をつかさどる領域です。

自然のなかにいる人に指示を出して、プラスの効果を高めようとする試みもなされてきています。

２０１０年にフィンランドの田舎にあるハイキングトラックで、世界初のウェルビーイングトレイルが開催されました。コースに沿ってたくさん立てられた看板には、動植物の紹介はありません。代わりに「ゆっくりと呼吸して、肩の力を抜きましょう」とか「気分のよさを実感しましょう」などと書かれています。

この看板は人気を博しました。もしかするとハイキングする人々をいっそうリラックスさせたかもしれません。でも、この看板が心身の健康を高める効果にどの程度影響したかを、測定することはできませんでした。

同じような効果を見込める別の手段が、自然のなかでマインドフルネスクラスに参加することです。五感すべてに意識を向け、森の中の音に耳を澄ませ、光の変化を眺め、緑の匂いを吸い込み、樹皮や苔の手触りを感じ、ベリーやキノコを味わってみることすらあります（知識のある人に選んでもらう必要があります）。

多くの人にとって安らぎの時間となることに疑いはありませんが、休息となる活動をふたつ組み合わせると、安らぎの効果がどの程度増えるかを確かめるのは困難でしょう。私の経験から言うと、**田舎を歩くと、意識的にエクササイズを行わなくとも「自然な」マインドフルネスを実践している状態になります**。

田舎との向き合い方を変えようとする前に、もうひとつ実験を紹介させてください。被験者にスタッフォードシャーのなだらかな高地の写真を見せたものです。

写真を見て自然との結びつきを強く感じたのは、写真を細部まで眺めた人ではなく、自然に見とれつつも頭では自分自身のことを考え、穏やかに内省する時間をとった人でした。

これが、自然のなかにいると日常の心配事を忘れる理由を説明するカギとなります。**自然の力を最大限活用するには、自然だけでなく自分についてもじっくりと考える必要があるのです。**

自然のなかで過ごすと、自分の悩みごとをより大きな視点から眺めることができます。

近所の小さな公園を見ても、何千もの生き物が、私たちの悩みごととは関係のないところでそれぞれの命を生きています。小さな公園ですらそうなのですから、大自然のなかではどれほどの数になるでしょう。

自然作家キャスリーン・ジェイミーは著書『Sightlines（視線）』に、スコットランドの湿原で、岩のあいだの小さな三角形の水溜まりに落ちた1匹の蛾が、死にかけた状態で浮いているのを見つけたときのことを書いています。

小さいさじを使い、ジェイミーは2回目の挑戦でどうにか蛾を助け出すことができました。とにかく夢中で小さな命を救いましたが、蛾が本当に助かったかどうかはわかりませんでした。そしてあまりに突然立ち上がったために少しめまいを感じ、気づけばあたりに広がる土地の広大さに衝撃を受けたそうです。

「そこには広大な湿原と湖、風に揺れる草が何マイルも広がっていて、さらに大きく広がりながら私のほうへと迫ってきた。私は吸い込まれ小さな存在に、蛾の目に、苔のかけらになった。覗き見ることを許されたのだ。湿原を構成している数え切れない何千万もの小さく細かな過程や出来事を。何千万だ。小さな生き物が、花が、バクテリアが、開き、育ち、分裂し、ゆっくりとそれぞれの今日を生きる。すべては外の世界でいま起きていること。いますべきは、知らない世界に一歩を踏み出すこと」

哲学者マッシモ・ピリウーチは、個々の存在は取るに足りない、つまり私たち一人ひとりはこの世界に生きる何兆もの生き物のひとつにすぎないという考え方を取り入れて、自分を癒やすためのスライドショーを作成しました。

ピリウーチの家の写真から始まり、そこから1枚ずつズームアウトして、まるで子どもが封筒に宛名を書いていくように、家の番地、通り、町、地域、国、大陸、世界、宇宙、それから無限大の空間へ続きます（無限の次は何でしょう?）。

座ってこのスライドショーをただ眺めていると、大局からすればきっと取るに足りないことに心をとらわれているのだと気づくことができると、ピリウーチは言います。

長年にわたって私は何人かの宇宙飛行士にインタビューをしてきましたが、みんな同じことを言っていました。宇宙での休憩時間に読もうと本を持っていったがほとんど開くことはなかったと。理由は、窓の外の景色です。暇さえあれば外を覗いて地球を見下ろさずにはいられなかったそうです。

三度の宇宙飛行を経験し、国際宇宙ステーションに7ヵ月間滞在したこともあるマイケル・ロペズ‐アレグリアは、初めて宇宙から地球の姿を見た瞬間のことを話してくれました。「すさまじい量のエネルギーによって身体にものすごい力がかかり、突如モーターが止まって、車が急ブレーキをかけたときのような衝撃がきます。ずっと下を向いて機器やディスプレイを触ってきましたが、ここでやっと上を見上げることができます。地球が見えるのはこのときです。自分でも理解しがたい、強烈な感情が押し寄せました。人類の歴史すべてが起きた場所がすぐそこに見えて、本当に心を揺さぶられました。地図や地球儀で見てきたのと同じものが、本物として目の前にあって。そのとき乗船していた7人との対比で、地球の広大さと全人口の膨大さを感じました」。

この景色が人々に与える効果は「**概観効果**」と呼ばれています。

概観効果を博士論文のテーマに選んだアナヒータ・ネザーミは、宇宙飛行士たちに話を聞いて、彼らに起きた意識の変化を発見しました。

宇宙飛行士たちは、何もない宇宙にぽっかりと浮かぶ、空気を薄くまとったはかないボールとしての地球を見て以来、他人と繋がり合っているという強い感覚と、この惑星に対する責任があるという思いを強めていました。地球を大切にしたい、守りたいという抗いがたいほどの強い欲求が心に生まれたのです。

スティーヴン・ホーキングは、宇宙から地球を見た人の頭に浮かぶ言葉はこれに違いないと述べました。「惑星はひとつ、人類もひとつ」。

宇宙から写した地球の写真が、環境保護活動を先導する力を持つと信じる人もいます。

人間への治療的効果もあるとアナヒータは考えています。

アナヒータは、毎日テレビで流れる天気予報コーナーを、宇宙から見た地球の映像で締めくくることを希望しています。砂嵐やハリケーンなど地球のどこかで起きている現象にスポットライトを当て、視聴者に包括的な視野を提供します。自分の地域に特化した天気予報を見た後に、結局はひとつの大きな地球の上でどこにいても繋がっているのだという感覚を育めるでしょう。

欧州宇宙機関のモジュール、コロンバスに取り付けられた複数のカメラが写す地球を、インターネット上でリアルタイムで見ることができます。

私がいま見たところ、コロンバスと宇宙ステーションが現在夜である大西洋の上空にあるため、映像は真っ暗闇でした。

私がこれから1時間半デスクの前でじっとしていたら、地球は太陽の周りを回りつづけ、宇宙ステーションが地球の周りを一周し終えます。さらに待つと、西アフリカの草木のない茶色い砂漠が、隆起する雲に縁取られて見えてきます。どれも魅力的で心が落ち着く眺めです。

自然のなかでのよい経験にも、何か同じような効果があるのではないかと私は思います。

大局から見れば自分は小さく取るに足りない存在であると思い出させ、日々の悩みごとを正しく捉えさせてくれる効果のことです。**自然のなかにいると、世界は大きくて静かなひとつの**

存在なのだと実感でき、深く自分を省みる機会を得られます。

外食をしに行く、パーティーに参加するなどの楽しい活動は、快楽をともなう喜びをもたらします。でも、もっと長時間続く別の種類の幸福もあります。

これにはより造詣の深い活動が必要で、人生の意味を探し自分の真の能力に気がつくところから始まります。自然のなかで過ごすことがその助けとなりうるのは、世界から見た自分の居場所を実感できるからでしょう。

また、**自然は時間の経過を感じさせ、再生への希望を与えてもくれます。**腐った切り株や枯れかけの茂みの傍を歩きながら私たちは死と衰退に直面し、同時に再生の兆しにも気がつきます。長い冬に終わりが訪れて春の兆しが現れはじめる時季は、特に感慨深いものです。田舎を訪れるのにこの時季が格別な人気を得ているのにもうなずけます。

１９８４年の噴火であたり一面を破壊したワシントン州のセントヘレンズ山を、訪れたことがあります。

噴火から10年が経っても、景色には終末感が残っていました。枯れた木の幹が、むき出しの焼け焦げた山腹にマッチのように散らばっていました。でもこの荒廃した景色の真ん中に新しい命がありました。植物が芽を出していたのです。まさに再生のさなかにありました。驚くくらいに生き生きとして希望に満ちた出合いでした。

いまいる場所でどれほど身動きがとれず行き詰まりを感じていても、出口を見つけるのがどれほど不可能に思えたとしても、ひとつだけ確かなことがあります。時間は進みつづけます。未来はどんどんやってきて、過去はどんどん遠ざかります。自然はこの真実を思い出させてくれるのです。

■ ネガティブな連想を伴わない場所が休息に向く

2017年、ロンドンのウェルカムコレクションは危険な賭けに出ました。普段どおり専門のキュレーターに数年かけて展示を計画させるのではなく、ギャラリースペースを一般人に埋めてもらうことにしたのです。自分と自然との繋がりを表す展示物を持ち寄るよう、一般人に呼びかけました。

展示物を待つあいだの担当者は、正直に言えば、不安でたまりませんでした。素晴らしい評判を得てきた会場が、来訪者に展示会の内容を任せるのです。いいものにならなかったら？誰も来なかったら？

恐れる必要はありませんでした。約束の日になると、人々が会場の前のユーストン・ロードの舗道にずらりと列をつくりました。常に騒音が鳴り響く6車線の道路、ロンドン随一の大気汚染度を誇る、ロンドンで最も美しくない大通りにです。

これほど自然からほど遠い場所もなかなかないでしょう。にもかかわらず、人々は辛抱強く列に並び、めいめいの展示物を抱きかかえるさまは、まるでテレビ番組『アンティーク・ロードショー』に鑑定依頼に来たかのようでした。

ただし、さほどお気に入りでもない磁器の水差しを抱えて、これで財を成せるかと勝負しに来たわけではありません。金銭的な価値はないけれども自分にとってとても価値のあるものを、それぞれが持ってきていました。


木製の丸い気圧計。円盤形。祖父が持っていた古い巨大なメジャーにも似た形。

杖81本の束。すべて庭で収穫したジャージーケールの茎を乾燥させ、切り出し、砂で磨いてニスを塗り、こぶの付いた木の持ち手で仕上げたもの。

正方形の人工芝。明るい緑色で見たところはよい状態だが、よくよく見ると人工芝から草がびっしり生えていてキッチンタオルの上でクレスを育てているような状態。偽物の植物の上に本物の植物。

ハンドプレーン。楕円形の滑らかな木材で、大きめのまな板程度の大きさ、片方の端が細くなっている。ボディサーフィンで波に乗るときに使う。裏には名前が彫ってある。「フェリックス」。フェリックスとはローザの弟で2012年に自殺した。ローザは検死を待つあいだに気持ちを和らげようと、32日間で32カ所の海に行って泳ぐという任務を自分に課した。海と自然の力が悲しみを癒やしてくれたとローザは語る。

小さなおもちゃ168個。ビートルのミニチュアの車が、格子が書かれた大きな四角い台の上にずらりと並ぶ。格子は虹の色の順に塗り分けられていて、まるで美しく整理された小さな駐車場のよう。持ち主のスティーヴン・ホールはオーストラリア育ちの47歳で、本物のフォルクスワーゲンのビートルを収集していた。いまはよちよち歩きの息子のためにおもちゃのビートルを集めている。

ボール紙でできた長さ15センチメートルほどの棺ふたつ。ひとつには赤いフェルトペンでカニの絵が描かれ、「メドウェイ・リバーサイドカントリーパークのカニの美しき思い出に」と書かれている。もうひとつには黒の波線で縁取られた中に「命のためにたたかった「原文ママ」死にたくなかったゆうかんなカニさんの美しき思い出に。安らかにねむれ」と書かれている。犬の散歩中に何百匹ものカニが干からびて死んでいるのを見つけた10歳と12歳の姉妹が、この棺をつくった。数匹を拾い上げて犬の糞を入れるための袋に入れて持ち帰り、しかるべき方法でカニを称えたいと棺をつくった。それから5年が経ったいまも棺と中身を保管している。

持ち主たちは展示品について「すごく真剣だったんです」と話した。

多種多様な展示物から博物館の担当者が選抜し、テーマごとにグループ分けして展示しました。線引きはかなり曖昧ではありますが、「変化」「想像」「維持」「儀式」などです。

考えごとを挟みながらこのギャラリーをぶらつき、展示物を見つめた私の結論はこうです。自然が多様な影響を人間に与えられる理由を、明確に突き止めるのが難しいのも無理はない。

展示物を持ち込んだ人々は、行く先々で自然を探し、道具や車の中にまで自然を見出していました。それと同時に、この自然の展示物は彼らにとってのメタファーでもありました。自分の考えや感情を表現し、生と死について考え、自分自身を癒やすための。

人に元気を取り戻させる自然の力は、人が自然にどのような意味を与えるかによるのです。

みんなが自然を好み、自然は必ず仕事からの心休まる逃避になると、決めつけてはいけません。

もしあなたがインドの田舎で農業を営んでいたら、そこはあなたにとって癒やしの場所でしょうか、それとも慌ただしい職場でしょうか。

フィンランドで行われた調査では、最も元気が出る場所は次の四つに分かれたそうです。子ども時代の思い出に結びつく場所、住んだことのある場所、自分のアイデンティティに関係する場所、現在についてじっくりと考え将来の計画を立てられると感じる場所。樹形は関係ないのです。大切なのは、意味づけです。

鳥のさえずりのような一見シンプルな要素でさえ、実はその音によって掻き立てられる記憶の影響を受けています。ある実験では、一日中働いて帰宅途中に友人と口論をし、やっと自宅で腰を下ろして一息つく時間を持てたところを、被験者に想像してもらいました。そこで、鳥のさえずりを聞かせます。どのような記憶や連想が刺激されるのでしょう?

被験者には50種類の鳥の鳴き声からいずれかひとつを10秒間聞かせます。被験者はみんなイングランド在住者でしたが、研究チームは故意に、被験者には馴染みがないであろうオーストラリアに生息する鳥の鳴き声も含めました。キホオコバシミツスイやアカクサインコ、もう少し身近なエナガや普通のニワトリまでと、多様な鳴き声を用意したのです。

さえずりを聞いて引き出された連想は、実に多岐にわたりました。自分の家や、子どもの頃に祖母と過ごしたことを思い出した人もいました。家族でジャングル探検に出かけるという空想にふけった人もいました。明るい連想ばかりではありません。『ドクター・フー』や『ツイン・ピークス』などのドラマを思い出した人や、アルフレッド・ヒッチコック作品の『鳥』の「ハトが雨樋にとまり、家に向かってふんをする」場面を思い出した人もいました。

鳥の鳴き声を聞いて元気が回復する程度を左右したのは、こうした各自の連想でした。鳥のさえずりが悪い記憶と結びついている場合、当然ですが、さえずりを聞いた後の被験者は到底安らいだ気持ちにはなりませんでした。

ここからわかるとおり、**休息に適した場所とは、ネガティブな連想を伴わない場所です**。そして、心理学者が言うところの「穏やかな魅力」を持つ場所です。悲観的な思考からしっかりと気をそらし、加えて安らぎを得るには、好奇心を適度に刺激するものがいいのです。ちょっと見たら簡単に理解でき、でももっと見たいと思ってしまうような場所です。ガーデンデザイナーは、庭にアーチや門を足すことで瞬時にインパクトを与え、奥にも何かがあるように見せて好奇心をくすぐる技を好んで使います。

自然も同じことができます。海を想像してみてください。私たちの気を紛らわせ、同時に不思議さで惹きつけます。ただ眺めていられますし、水平線の向こうや波の下はどうなっているのだろうとも思わされます。

この分野は小規模な研究が多いことが課題だとすでに述べましたが、サリー大学のケイリー・ワイルズのもとで最近行われた調査は例外です。精神の回復を最も大きく助ける風景の種類を調べたもので、イングランドに住む４０００人以上から、前の週に自然と関わった出来事について情報を集めました。

精神的な回復や自然と繋がる感覚を最も強くもたらしたのは、海辺、それも公式に自然保護区などに指定された場所での経験でした。滞在時間は30分以上が効果的とのことでした。

昔よく父と訪れていたグレートフェンを最近また訪れました。土手に腰掛け、ここまで書いてきたさまざまな心理学理論について考え、多くの人が自然のなかで過ごして安らぎを得られる理由を一番よく説明できるのはいったいどの理論だろう、と思いを巡らせました。

私が思うに、安らげる理由は自然そのものにあるわけではなく、何千年も前から人間が自然を眺めて進化してきたからでもなく、それぞれが人生で自然の見方をどう学んできたかにあるのでしょう。

これをきれいに形にしたのが、さまざまな風景を見て農家と旅行者が抱く感想を比較した、オランダの研究です。農家は、耕されて整った、氾濫の心配のない農地の景色を一番気に入りました。旅行者は、草原や切り立った山の景色などを好みました。**自然から安らぎを得るには、各自の経験と意味づけが重要なのです。**

宇宙飛行士が宇宙から私たちを見下ろして、無数の小さな人間がアリのようにせかせかと走り回ったり、子を産んだり、よい知らせに喜んだり、死んだりするところを想像するときと同じように、一歩後ろに引いて人生を見るチャンスを自然が与えてくれます。

私にとってそれを与えてくれる最高の場所は、ケンブリッジシャーの沼沢地です。かつての姿により近い風景に戻すために、再び水がゆっくりと注がれています。本当にたくさんの理由があって、ここが私にとって一番意味を持つ場所となっています。

自然のなかで過ごすことに関するまだ謎の多い心理学理論について何度も思考を巡らせながら、ひとつ気がついたことがあります。その場所にただ座っているあいだ、何ひとつ不安を感じませんでした。この本に関しても、ほかのことについても。私の頭の中は少しのあいだ、静かになりました。心の平安が訪れたのです。

人気の休息

第1位

読書

THE ART OF REST

子どもの頃にきっとこんないたずらをしたことがあると思います。誰か（できれば大人）が、足を組んで椅子に座るのを待ち、上に置かれたほうの膝頭の下、柔らかいところを、目にも留まらぬ速さで鋭くチョップします。すると、上のほうの脚がぽんと跳ね上がり、子どもは歓喜、大人はむっとします。

すごく面白い遊びですが、読書の安らぎに関する章の冒頭でなぜこれが出てくるのでしょう？

まず、座って本を読むとリラックスできるのは明らかだろうと思えますが、これを追究した研究は驚くほど少ないのです。注目に値する研究は1928年にさかのぼります。この本ですでに紹介した学者、シカゴ大学のエドモンド・ジェイコブソン博士が実施しました。漸進的筋弛緩法を発明して後に有名になる人物です（「第5位　特に何もしない」で触れました）。足先から頭までの筋肉一つひとつに、順に力を入れたり緩めたりすることで、気持ちを落ち着かせる方法です。

この研究に関する著書にジェイコブソンが『You Must Relax!（力を抜け！）』という、リラックスについて何もわかっていないかのような題をつけたことも、思い出してもらえたでしょうか。

でもジェイコブソンは、医者が患者に力を抜きなさいと指示すると、患者は逆に力を入れて緊張しがちであることをよく理解していました。

1928年の研究では例の膝の反射を測定し、患者が緊張していると膝の動きの幅が大きくなることがわかりました。ジェイコブソンは、この強制的な膝の動きが鈍るかどうかを見て、患者を最も効果的にリラックスさせる活動は何かを調べたのです。

結果は、そう、読書でした。

ジェイコブソンは手の込んだ方法でこの答えにたどり着きました。この実験に用いた機械装置の説明に、学術論文の丸1ページ以上を費やしたほどです。

肘掛け椅子に座った被験者は、片方のももを、革のベルトで椅子に固定されます。電磁石で動くハンマーが留め金で留められていて、自動的に膝を優しく叩きます。すると、ひもと滑車の仕掛けが、ジェイコブソンが「動きの振れ幅」と呼んだ、足がぽんと上がる反射運動の程度を正確に測定します。同時に、てこものさしの仕掛けが、膝自体が動いていないかを測ります。

ジェイコブソンは学術論文に、実験開始時に被験者40人中5人が「著しく緊張していた」と素っ気なく記しています。

被験者は拷問部屋に入れられたと思ったでしょうから、緊張するのも当然です。ベルトやハンマー、滑車が用意されているのみならず、壁には特殊な防音用の板が貼られているのを見て、震え上がったことでしょう。これは何も被験者の叫び声を隠すためではなく、外からの騒音で気がそれるのを防ぐためのものでした。

装置一式はなかなか滑稽に見えましたが、ジェイコブソンの実験は興味深い結果を生みました。

ハンマーによる衝撃が規則的で頻繁、たとえば30秒おきなどの場合、読書中の被験者は膝の動きが小さくなるほどにはリラックスできませんでした。しかしハンマーの衝撃の間隔が開くと、被験者に読書の魔法がかかり、徐々に穏やかな気持ちになっていったことが、膝の反射運動がどんどん小さくなることで証明されました。

この研究は到底完璧だったとは言えません。まず、被験者は本を音読するよう指示されましたが、これは一般的な普段の読書方法とは異なりました。さらに重大なのは、被験者の半分は読書をしない、という対照条件が設けられなかったため、被験者が単に膝への衝撃に徐々に慣れて、読書に関係なくリラックスしていっただけという可能性も捨てきれません。

実験結果によれば、被験者のほとんどが読書でリラックスできました。例外は、「神経質」と診断された三人と、「ベルトが非常にきつかった」ために「リラックスできなかった」と話すJ.C.という名の不運な被験者でした。

研究に欠陥はあったとはいえ、ジェイコブソンは明らかに真実に近づいていました。

それから約90年後の**休息調査では、読書はほかのどの活動よりも休息になる活動として認められています。なんと回答者の58％が読書を選択**し、その人たちは、人生を楽しむコツを心得ているように見受けられました。回答者の自尊心、目的意識、意味づけ、楽観性を組み合わせた考え方で人生が成功または充実しているかを測定したときに、高いスコアを出す可能性が格別に高かったからです。

疑り深い人なら、自分は教養がある聡明な人物だと示したくて読書にチェックを入れた回答者も多いかもしれない、と思うかもしれません。高校生が大学への願書の趣味欄に読書を挙げるように。

これへの答えとして、回答はすべて匿名だったこと、そしてもし回答者が勉強好きに見られるかを気にしていたなら「何もしない」がトップ5には入らないであろうことを伝えておきます。読書でリラックスできると答えた人たちを私は信じています。

■ リラックスと刺激

本を常に携帯していないと落ち着かない、という人は実際にいるものです。

> **本の虫　求む**
> **娯楽小説が大好きで多読する方、研究の発展にご協力いただけないでしょうか**

これは、1980年代にジンバブエ出身の臨床心理士ヴィクター・ネルが南アフリカの新聞に投稿した広告です。読書習慣について研究するために、読書家を募ったのです。週に小説を最低1冊読む人なら誰でも志願できました。それどころか、実際に集まった志願者の週の平均読書数は4冊で、なかには4人家族で月に101冊読むという人たちまでいました。

熱心な読書家たちを惹きつけた結果、ネルは現存する読書研究のなかでも最も子細な研究を成し遂げることができました。

私もこの偉大な研究からたくさん引用するつもりです。私が好きな質問は、訪れたことのないホテルに着いて好きなときに自由に読書をしていいと言われたが、ふと読む本を持っていないことに気づいたとしたらどう感じるか、というものです。

この質問への回答は「欲求不満指数」に集約され、スコアが高かった人はたいてい「読みたくてたまらなくなる」「暗い気持ちになる」「喪失感を抱く」などと答えました。

印象的だったのはこれに対するネルの反応です。この人たちは小説を携帯することに依存していると言えそうだ、とまとめました。

たしかにほとんどの人は、ダン・ブラウンやJ・K・ローリングの最新作をいま手に持っていないからといって、冷や汗をかいたりパニック発作を起こしたりはしません。

それでもたくさんの人の生活において、本は大きな存在です。イギリスだけを見ても、2018年の書籍の総売上額は16億ポンドでした。世界で本が重要な地位を占めているのだと感じられます。

私は休息調査で読書が1位に輝いたことに驚きました。なぜって、一番好きな活動ではなく一番休息になる活動への投票だったからです。

読書は受動的な娯楽ではありません。なかなかの労力を要します。たしかに、ランニングとは違ってソファーやハンモックに寝転びながらできる活動ですが、それでもさまざまなレベルでの認知面の労力が必要とされます。

まず、文字を読みます。それを単語として認識します。その単語の集まりから意味を読みとります。その意味をこれまでに読みとった意味と関連付けます。自分の記憶の中を探ります。頭の中にイメージをつくりあげます。頭の中で、動作や景色、音、場面を再現します。

こうして私たちは心理学者が「心の理論」と呼ぶ考え方を使って登場人物の思考に入り込み、その人物の動機を理解したり、思考を想像したり、感情を感じ取ったりするのです。

不思議なことに、読書は認知面のみならず、身体的にも意外なところで労力を要します。ヴィクター・ネルが１９８８年に本の虫を募ったのは、読書中の身体に何が起きているかを追究するためでもありました。このために、また別の複雑な実験を行いました。
ネルはまず、被験者に半透明のゴーグルをかけさせ、ホワイトノイズを10分間聞かせて、被験者が退屈する状況をつくりました。その後、被験者にいくつかの活動を実施させました。30分間の読書、目を閉じて5分間リラックス、写真を見る、暗算、次のようなクイズなどです。
赤いりんごを半分に切り、もう一度半分に切りました。合計いくつの面が赤でいくつの面が白でしょう？［答は、赤が4面、白が8面］
被験者が決められた活動をするあいだに、ネルはいろいろな測定を行いました。被験者の顔、頭、首に電極をつけて、筋肉の活動を観察しました。心拍の間隔と、呼吸の速度を測定しました。

こうして得たデータは、活動内容によって被験者の身体がどう反応したかを見極めるのに役立ちました。

では、退屈、リラックス、暗算やクイズ、読書などのうち、どの活動のときに最も身体が休まっていたでしょう？　本の虫である被験者たちが、趣味の読書に要する労力はほぼゼロに等しいとすでに答えていることからも、生理学的にも休めているのではないかと予想できます。読書にはきっと身体的な労力はいらないはずです。

でも正解はというと、退屈しているときや目を閉じてリラックスしているときよりも、明らかに読書中のほうが、被験者は生理的に覚醒していました。さらには、難しいクイズを解くときよりも、計算中よりも多少、読書中のほうが覚醒していました。

ネルの研究から得られる結論は、**読書は熱心な読書家にとっては格別にリラックスできる活動ですが、脳を休ませたり身体の活動を止めたりする活動ではない**ということです。ここで、ある疑問が浮かびます。就寝前の読書はいいものなのでしょうか？

■ 就寝前の読書の効果

読書は頭の中を穏やかにするという実感からか、多くの人が就寝前に本を読みます。しかし

心理学的、生理学的な見地から言うと、就寝前の読書は必ずしもいいとは言えません。

睡眠の専門家はよく「睡眠衛生」を指導します。これは一日おきにシーツを替えろという意味ではなく、寝室を完全に睡眠のためだけの空間にするという意味です（疑問に思った方のために。セックスは例外だと言われています）。

つまり、寝室と落ち着いて眠ることとをしっかりと結びつけるのです。じきに結びつきは強固になり、もっと楽に入眠できるということです。

睡眠の専門家は、刺激過度になる恐れからベッドでテレビを見ることに対して否定的で、ましてや携帯電話をいじることに対しては言うまでもありません。しかし本の類いは、怒りの矛先を逃れています。専門家として文化人を気取っているだけなのでしょうか、それとも読書は別扱いとするのは適切なのでしょうか。

アンケート調査で集めたデータは、よく眠るという目的のもとでは、テレビを見るよりも読書をするほうが好ましいことを裏付けています。

イギリスに住む5000人を対象とした調査では、夜にベッドでテレビを見る人のうち38％がほぼ毎晩まったくよく眠れないと回答し、就寝前に読書をする人のうち39％が非常によく眠れると回答しました。

夜中に目が覚めてどうしても眠れなくなってしまったとき、翌日どれほどひどい気分で過ごすはめになるだろうといらだったり、翌日のタスクを思い浮かべて気に病んだりするよりは、すぐにベッドから出て椅子に座り（寒かったとしても）、また眠くなるまで読書をしたほうがいい、と睡眠を研究する大勢の心理学者も勧めています。読書のおかげで気がそれ、身体が布団の心地よい暖かさを求めている状態でベッドに戻ることができれば、すぐにまた眠りに落ちるでしょう。

とはいえ、読書により頭だけでなく身体も活性化することはさきほど確認しました。それなのに、なぜいつの間にか眠ってしまうほどのリラックスした状態になれるのでしょう？

ヴィクター・ネルの考えによると、読書は精神的にも身体的にも人を覚醒させますが、読むのをやめると覚醒レベルが急激に落ち、それが眠気をもたらします。温かい風呂に入った後の体温の降下が眠気を誘うのと同じように。

興味深い仮説ですが、私としては少し疑問が残ります。まず、なぜ読書中につい眠ってしまう人が多いのかを説明できていません。それから、就寝前に本ではなく面倒なメールの山を読んだときには、なぜ同じ現象が起きないのでしょう。ノートパソコンを閉じた瞬間に覚醒レベルが落ちてしかるべきなのに、この場合はすぐに入眠できることはほぼありません。

というわけで、読書が休息になるにしても、なぜ多くの人にとってよい睡眠の準備にもなりうるのかには、謎が残ります。もしかすると、子どもの頃、眠る前に本を読んでもらっていた記憶と何か関係があるのかもしれません。これについては後ほど説明します。

■ 読書は怠惰な娯楽だった

読書がもたらす安らぎに関する研究では、すぐれたエビデンスの多くが偶然得られたものだという興味深い一面があります。

意外にも、リラックス手段としての読書を検証した研究は数少なく、たとえば何か別の活動と休息の関係を調べる際に、たいして特徴のない活動の例として読書が用いられることがよくありました。その結果、読書が別の活動と同じくらい、それどころか別の活動以上に効果を発揮することがわかったのです。

例として、2009年に発表されたヨガに関するアメリカの研究があります。研究チームはきっと、ヨガが究極の休息の形だと証明したかったのでしょう。

でもチームにとっては不運なことに、ヨガの比較対照として、最強の休息活動を選んでしまいました。ヨガを行った30分後に血圧とストレスレベルの低下が確認されましたが、『ニューズウィーク』の記事を読んだ30分後にも同程度の低下が確認されました。

オーストラリアで行われた別の実験では、日常的に太極拳をしている人たちを、ストレスフルな環境下に置きました。騒音のある部屋で難しい暗算を1時間、残り時間が減ってきたとしつこく急（せ）かされながら行います。

同時に別のグループは、さまざまな人が恐ろしい経験をする動画を1時間視聴するという、いっそう不快な時間を過ごします。予想どおり、視聴が終わる頃には全員がかなりのストレスを感じていました。

次の1時間に行う活動として、被験者たちは瞑想、早足で歩く、読書、太極拳のいずれかに割り振られます。

この実験でも、設定を見る限り、研究チームはストレス軽減とリラックスには太極拳が理想的であると証明したかったのだと予想できます。

しかし生理学データの測定結果により、ストレスホルモンのコルチゾールのレベルを下げ、より安らいだ気分をもたらす効果は、読書やほかの活動にも太極拳と同程度に見られることが明らかとなりました。

研究者たちが苦労して掴んできた真実を、読書家の多くはとっくに知っています。読書は最大の安らぎをもたらす活動のひとつだということです。

シカゴの研究では、被験者がその日行ったことすべてと、行った動機を日記に記録させました。すると、全体の34%がリラックスするためと明確な目的を持って読書をしていました。読書が行われた回数のうち89%において、読書をした人は労力をあまり使わなかった、またはまったく使わなかったと答えました。

何世紀か前には、読書は休息になりうるというのは割と普通の認識でした。それどころか読

書は怠惰でわがままな活動とさえ思われていました。18世紀のイングランドでは、小説を手にして座り込むことは「ワインを飲むのと同じ」と考えられていました。ひどく堕落した行為だったのです。

読書は怠惰とだらしのなさを助長するだけでなく、姿勢を悪くし、火事のリスクを高めるとも言われていました。当時は夜に本を読むにはろうそくが必要だったからです。巡回図書館と呼ばれた移動図書館は、売春宿やジンを売る店にたとえられました。「ソファーで読書」は、私たちにはとてものどかな感じがしますが、当時の道徳を説く人や社会改革をする人から酷評を受けていました。

学者のアナ・ヴォグリンチッチは２００８年の著作で、18世紀当時の小説に対する考え方を、現代のテレビ視聴に向けられるモラル・パニックになぞらえています。「小説を読む人がろうで本を汚したり火事を引き起こしたりすると懸念されたとすれば、それは現代のテレビを見る人がジャンクフードを食べてカーペットをケチャップで汚すと懸念されるのと同じです」。

ここで言う小説やテレビは、いまではスマートフォンやタブレット端末に置き換えられるでしょう。**どうやら人は、実態がよくわからないが、面白いので時間を費やしてしまうもの、それもとりわけ新しいものを恐れる**ようです。

ヴィクター・ネルが実験を行った１９８８年でさえ、小説、とりわけ話題の本やフィクションを読むことを非難するなごりがあるのをネルは確認しました。

ネルが集めた熱心な読書家たちは、自分が読む本のほぼ半分は高校の教師がゴミだと批判するものだ、と話したのです。読書家たちは、そのような本を夜にベッドに寝そべって読むのはよいとしても、日中に読むには罪悪感がある、と答えました。日中にはもっと活動的で有益なことをすべきだと感じてしまうとのことです。

■ 本を読むときの頭の中

なぜ読書が休息になるのかを完全に理解するために、読書中の頭の中で何が起きているかを調べてみる価値はありそうです。

本はほかのメディアと比べると、ある意味好きにコントロールしやすいと言えます。もちろん放映中のテレビ番組を一時停止したり、巻き戻したり消したりすることもできますが、たいていはそうせずに見ています。

トロント大学のレイモンド・マーは、人がいったん映画やテレビ番組を見はじめると最後まで見つづける傾向が強いこと、それは他人と一緒にテレビを見ることが多いからであることを指摘しました。

しかし本は違います。ページをめくらずにはいられないスリラー作品などは例外かもしれませんが、普通は一気に一冊読み切ることはあまりありません。夢中になって本を読みふけったとしても、常に気はそれます。特に意識せずにいったん目線を止めたり、同じ段落をもう一度読んだり、少し前のページを読み返したり、完全に寝入ってしまったりすることがあります。こうして一冊読み終えるにはかなりの時間がかかるのですが、それもまた休息の助けとなっています。

私たちは本を自分のペースで自分のやり方で読みます。これはつまり、味わう感情をコントロールできるということです。

ホラー小説であまりにも怖くなったらいったん本を置くことができます。スパイもののスリラーのハラハラ感に耐えきれなかったら、ずるをして先に結末を読むこともできます。著者との共同作業で自分の頭の中に登場人物をつくっていくため、悪役をどの程度恐ろしい人物にするか、主役をどの程度勇敢な人物にするかを決めることができます。近所に実在する場所に似せた通りを頭の中につくりあげ、さまざまな出来事がすぐ傍で起きているかのように想像することもできます。登場人物の見た目を誰か知人に似せることもできます。できるだけ知らない顔にすることだって。

著者がある程度の制限を設けはしますが、本ではその範囲内であれば創造の自由が、読者に気前よく許されています。

一般的には本を一冊読み終えるまでに数日から数週間を要します。私は小説を読むのがものすごく遅く、ジェフリー・ユージェニデスの『ミドルセックス』(早川書房、2004年)の世界には2年以上も没頭しつづけたほどです。その世界に戻るたびに、帰ってきたというような温かい感情に包まれました。

いまではこの『ミドルセックス』の世界にすっかり馴染み、頭の中で出来事をはじめからなぞり返しては自分の心配事を忘れています。

読む速度を自分で決められるというのは重要な要素です。

ヴィクター・ネルは、集めた熱心な読書家たちを研究室に座らせ、各自の好きな本を読む様子を観察しました。窓と鏡を使って、読書家たちの目線がページの端から端へと動く様子を見ました。

すると、やや意外なことに、物語に惹きつけられているときの読書家は読む速度を上げるのではなく、速度を落として一番面白い場面をじっくりと楽しむ様子が見られたのです。

少し退屈な場面にさしかかるとざっと斜め読みをする様子も見られ、興味を惹かれない部分に無駄な時間を費やさないこともわかりました。

こうして**速度を上げたり下げたりし、好きな場面をのんびりと楽しんで、退屈な部分は飛ばし読みする無意識の能力が、私たちを読書に没頭させ、リラックスさせる助けとなっています。**

一人で静かに読書をするとき、自分の頭の中で内的発話の一種として文章を音読している、と示すデータがあります。まったく声を発していなくても、音読するときのようにたとえば

「cake」の長い母音は長く、「cat」の短い母音は素早く読んでいることが実験からわかっています。

また、本の中の出来事によって引き起こされる感情は、読む人の脳にも身体にも影響を与えます。これは心拍数と皮膚コンダクタンス（指先がどの程度汗ばむか）、そして神経画像の診断から明らかになっています。たとえば、被験者に『ハリー・ポッター』の恐ろしい場面を抜粋して読ませると、脳内ネットワークの共感をつかさどる部分に高い反応が見られます。

ここからわかるのは、**本から読みとる内容は、日常生活で本当に起きていることと同じくらい、脳と身体にとってはリアル**だということです。つくりものの出来事に、非常に深く没入しているのです。

読書中は、内容について熟考し、未来を予測したり過去を振り返ったりします。フィリップ・プルマンは「本が提示し、読者が問いかけ、本が答え、読者が熟考する」と書きました。このやりとりに、読者は自分の性格、過去の読書経験、予想と期待、望み、それから恐れを持ち込むのです。

本によって引き起こされた感情は、必ずしも一瞬限りのものではありません。数日間とどまることもあります。一番好きな小説というのは、読後何年経ったとしても、思い出すたびにまたその本の世界に浸ることができますよね。

ヴァージニア・ウルフは「いかに読書すべきか？」というエッセイにこう書いています。

「読書の埃がおさまるのを待ちなさい。葛藤や疑問が鎮まるのを待ちなさい。歩いたり、話したり、バラのしおれた花びらを千切り取ったり、あるいは眠ったりしなさい。すると突然、私たちが意図しなくても——自然はそうやってこうした推移を取り計らうのですから——その読んだ本が立ち戻ってくるでしょう、でも、ちがった形で。それは一つのまとまりとして精神の頂点に漂い上がってくるでしょう」——『病むことについて』(川本静子訳、みすず書房、2002年)

ここまで、主にフィクションを読むことについて書いてきましたが、もちろんノンフィクションを好む人も多く、ノンフィクションを読んでもフィクションと同等の楽しみと安らぎを得られることが研究結果からわかっています。

休息調査では何の本を読んでいるかは尋ねませんでした。紙の本、電子書籍、フィクション、ノンフィクション、雑誌、新聞、もしくは年次報告書だってありえます。

そもそも、読む内容が事実かフィクションかは、さして重要ではありません。たとえば南アフリカの研究では、被験者のうちフィクションを多く読む人は新聞も多く読んでいました。

私はベッドで新聞を読むのが大好きです。世界で何が起きているかを知らずにはいられません。ナイトテーブルの横の床には新聞紙が積み重なり、やがて大きな山となってようやく、もう読むしかないと私は一番古いものを手にとります。1ヵ月前の特集記事や数週間前のニュース欄を捨てるときには切ない気持ちになります。

私の新聞の山を「ネズミの巣」と呼び、あまり好ましく思っていない夫に対し、少なくとも何ヵ月分もの新聞を旅行かばんに詰めて旅先に持って行く私の友人のようにはならないと、返しています。

その友人は旅先のプールサイドで黄ばんだ新聞を一つひとつ読み、読んだら捨て、空になった旅行かばんをたたんでスーツケースの底にしまって家に帰り、次の新聞の山に向けて準備を整えるのです。

新聞の熟読にはひとつデメリットがあります。やるせないことですが、ニュースというのは暗い内容が主で、世界の厳しい実態を表すものばかりです。

サウサンプトン大学のデニス・バーデン准教授は、言うまでもない事実ですが、ネガティブなニュースは人を悲しく不安な気持ちにすると言及しました。残念かつ興味深いことに、その憂うつのもととなったニュースに対して何か行動を起こそうという意欲を低下させることもわかりました。

もっと明るいニュースを読みたいと言う人は多くいますし、新聞社も放送局もそうしようと幾度も試みてきましたが、現実的な話をすると、人間はネガティブなニュースを選んで読んだり視聴したりしてしまうものなのです。口では何と言おうと、スケートボードにのる犬の話よりも地震や政治スキャンダルの話を読みたいと、どこかで思っています。

ネガティブなニュースを読むことにはひとつメリットがあります。宇宙から地球を眺めるように、他人の不運は自分の悩みごとを大局から見させてくれるのです。

■ 自分からの逃避がくつろぎをもたらす

ノンフィクションもフィクションも読者を別の人物の世界へといざないます。あまりにも鮮明な世界なので、読書体験と本の内容とが密接に結びつきます。休暇中に本を読むと、まるで読書をしている現実の場所と、小説の中の空想の場所の両方が舞台であるかのように感じられます。

労力を要するにもかかわらず、読書でくつろげることが多いのは、自分の世界から逃避できるからです。自分が抱える問題も思考も、いったん手放すことができます。

作家ローズ・トレメインは、フィクションを書くことで人々のメンタルヘルスに「微々たる貢献」ができれば、と望んでいるそうです。「私の本を手に取って『ああ、これでいまから30分は大丈夫でいられる』と思ってもらえたら」と話しています。

アメリカの心理学者ミハイ・チクセントミハイは、読書がもたらす我を忘れて夢中になるような状態を「フロー」と呼びました。「私は遊ぶ」という意味のラテン語「ludo」から、「ludic reading（遊読）」と呼ぶ人もいます。

南アフリカの研究に参加した「遊読」者の一人は、「私は自ら望んで生まれてきたわけではありませんし、（正直に言うと）人生を100％楽しんでもいません。だから、毎日数時間いわゆる『ゴミ』を読んで、周囲からの余計なお世話や、自分からのお節介、気を散らすものから逃れているんです」とコメントしました。

また、ヴィクター・ネルの研究に参加した、月に100冊読む家族の一人は、こう述べました。「読書とは病気の一種です。読むあいだは人生が脇をすり抜けていき、自分はもっと広い世界へと逃げ込むことができるのです」。

ただし、気を紛らわしたいときにすべての本が役に立つとは限りません。

ある研究では、慢性疼痛に悩む人々がグループで短編小説か詩を読みました。すると、身体的な苦しみから最も気を紛らわせたのは、一番難解で示唆に富んだ文学作品でした。アントン・チェーホフ、D・H・ロレンス、レイモンド・カーヴァーなどの作品のように、物語が興味をそそる複雑なものであればあるほど被験者は夢中になり、痛みを認識しにくくなりました。

ネルは招集した「遊読」者たちはふたつに分類できると考察しました。ひとつは、自分の世界から逃避するため、または日々生まれる自分の思考をいったん消し去るために読書をする人。もうひとつはその逆で、自分への意識を高めたいと思い、人生について考えるために別の人生についての本を読む人です。

■ マインドレス・リーディングについて

読書に関する神経科学面の研究としては、南カリフォルニア大学の研究チームが、ソフトウェアを使って、世界中のブログに投稿された2000万件ものプライベートな話から40編の物語をつくりました。いわば、精選された人間物語40編です。

これを読む人の脳内にどのような反応が見られるかを調べるのが、研究チームの目的でした。同じ物語を読んで、個々の脳はどの程度異なる反応を見せるのでしょう?

結果、たいした違いはありませんでした。英語、ペルシャ語、または中国語で読んでも、字体やレイアウトが違っても、内容が同じであれば脳の反応は不思議なほど似通っていました。要は、特定の物語を脳が処理する方法は世界共通ということです。さらに不思議なことには、研究チームは脳スキャンの測定結果を見てその人が40編のうちどの物語を読んでいるかを当てることができたそうです。脳スキャン装置は読書中の人の頭の中を読んでいました。

しかしこの研究の一番の収穫は、**読書中の脳は休んでもいなければ完全に読書に集中してもいない**と明らかにしたところです。

読書には脳のさまざまな部位を使います。たとえばデフォルト・モード・ネットワークの一部、つまり何も考えていないつもりでも実は思考を移ろわせているときに活性化するネットワークも使います。かつて神経科学者は、ひとつのタスクに本当に集中しているのでない限り、このネットワークは活性化されるはずはないと考えていました。

しかし南カリフォルニア大学の研究をはじめとしたさまざまな研究が、読書中の脳内ネットワークは物語に意味を見出し、その意味を自分の記憶や未来に関する考えや、自分の人間関係と結びつけようと、活発に動くことを示唆しています。

つまり、**どれほど深く他人の世界に潜り込んだとしても、自分の世界と関連づけずにはいられない**のです。

プリンストン大学の心理学者ダイアナ・タミールがこの説を裏付けています。脳スキャン装置内に横たわる被験者たちに、さまざまな本の抜粋を読ませました。

フィクションは、エドガー・ライス・バロウズの『類猿人ターザン』やトマス・ハーディの『ダーバヴィル家のテス』など、ノンフィクションはレベッカ・スクルートの『不死細胞ヒーラ　ヘンリエッタ・ラックスの永遠なる人生』からパティ・ポルクの有名な『Collecting Rocks, Gems, and Minerals: Identification, Values and Lapidary Uses（岩、石、鉱石集め：判別、価値診断、宝石づくりの手引き）』まで多岐にわたりました。

とても刺激的な内容の本もそうでない本もあると私は感じましたが、被験者がどの本を読んでもデフォルト・モード・ネットワークは活性化しました。

なお、活性化した部位は何を読むかによって異なりました。はっきりとわかったのは、瑪瑙（めのう）

や碧玉（へきぎょく）、定積土など、正直に言ってほとんどの人が興味を持たない内容について読むときでさえ、私たちは自分の経験や思考からなる世界をその読書体験に持ち込むということでした。

もしかすると、目の前に開かれた本に常に徹底的に集中するわけではないという点も、読書の楽しさのひとつなのかもしれません。

心理学者はこれを**マインドレス・リーディング**と呼びます。

この用語を聞いたことがなかったとしても、きっと身に覚えはあると思います。ページの中心をじっと見つめながら、内容を読みとるのではなく別のことを考えている自分に気づくことが、どのくらいあるでしょうか。何ページか読み進めるあいだにも、夏が来たら庭をどのようにしようか、休暇にどこに行こうかなどと考えていたせいで、後で内容を一文字も思い出せないことは？

読書は空想への申し分ない出発点を用意して、マインド・ワンダリングを促進することがあります。現実を離れて、本の中に登場する場所に限らず、読者の記憶にある場所や行ったことのない場所にさえも飛んでいけるよう、刺激を与えます。

当然ながら、他人の頭の中で何が起きているかを把握するのは難しいものです。でもマインドレス・リーディングの実験を見ると、誰もが同じような反応をすることがわかります。

何人かの研究者が発見した興味深い事実は、とりわけ何か簡単なものを読んでいるとき、目では文章を追いつづけながらも思考はどこかをさまよっているということです。難解なものを読むときにも同じ現象が見られると発見した研究者もいます。

どちらにしても、マインドレス・リーディングが行われているのを示す明確な兆候があるということです。まばたきの頻度の増加が、そのひとつです。また別の兆候は、「シャーロック・ホームズ」の本を使ったある実験から導き出されました。

心理学者ジョナサン・スモールウッドは被験者にコナン・ドイルの『赤毛連盟』を読むよう指示し、被験者が文章に本当に集中していると、よく知らない長い単語が出てきたときに読む速度が少し下がることを発見しました。反対に、被験者の思考がどこかをさまよっている場合には、よく知らない単語をさっさと飛ばすこともわかりました。

「第8位　空想にふける」でも紹介した、作家で心理学者のチャールズ・ファニーハフは、本の執筆と同じくらい読書も好きだそうです。集中を切らしやすい読書家だと自負してもいます。しかしそれが読書を好きな理由のひとつでもあるそうです。ファニーハフは、読書中に集中力が途切れる瞬間には、思考が自由にさまよえる休息状態に直接繋がる特別な何かがあるのではないか、と考えています。読書とは思考をさまよわせるための手っ取り早い方法なのでしょうか。

作家としては、時間をかけてつくりだした文章にしっかりと集中してほしいと思っているはず、と思いますよね。

しかし、たとえばヴァージニア・ウルフなど、読者の気がそれるのを歓迎した作家もいます。ウルフは、読書中に思考をさまよわせるのは創造力の訓練になると書いています。「本箱の右側の窓が開いていないでしょうか？　読むのをやめて、外を見るのはなんてすばらしいことでしょう！　意識せず、関わりなく、絶えず動いている外の光景はなんと刺激的でしょう！——子馬が野原を駆けまわり、女の人が井戸で手桶に水を満たし、ロバがそりかえって、長く響く、刺すようなうめき声をあげています」——『病むことについて』（川本静子訳、みすず書房、2002年）。

ということで、読書はふたつの意味で休息になることがわかります。読書することで、ときに自分の心配事から気をそらし、ときにその逆を行うのです。自分の世界から飛び出すときも、思考をさまよわせながらも自分の人生に向き合うときもあります。

休息の真髄には、やはりこの衝突があるのです。頭の中で過去に戻ったり未来へ行ったりしながら、自分を逃避させ、同時に自分自身と対面させます。**読書は自己認識を排除する方向にも強める方向にも利用できるのです**。

この本で紹介してきた休息になる活動を行いながら、私たちは思考を整理しようとしたり、頭の中を空っぽにしようとしたり、いまこの瞬間に集中しようとしたりします。でももしかすると、散らかしたっていいのかもしれません。**自分の世界に新しい考えごとを足し、誰か別の人の物語や視点を加えることこそが休息**なのだと、気づくのかもしれません。

そして、なぜ読書が真の休息に繫がるのかを説明する三つ目の要素があります。

■ よい本からは仲間を得られる

休息になる活動のベスト5は、どれも主に一人きりで行う活動です。多くの人にとって、他人から距離をとることが休息の重要な要素です。

ですが、この点において**読書は特殊で、他人から距離を置くと同時に仲間を得られます**。生身の人間と一緒にいるときよりも安らぐことのできる、そして特に断りなどなく好きなときに無視できる仲間です。

このような仲間との繫がりはとても強力で、孤独が原因となって生まれる感情や寂しさからさえも守ってくれます。「第3位　一人になる」で、「一人きりのときに頭の中で一緒にいる人物は誰ですか？」という問いがありました。ときどき、本の中の登場人物名を答える人がいます。

アメリカの偉大な小説家ジョン・スタインベックはこう言いました。「私たちは人生をかけて少しでも寂しさを減らそうとします。古代からの手段のひとつが物語を語ることで、聞き手が『そうか、きっとそういうものなんだ。少なくとも自分は同意できる。自分が思うほど自分は孤独じゃないんだ』なんて言ったり感じたりすることを期待して語ります」。

お年寄りと関わる仕事を何年も経験してきたアメリカの看護学校教員は、**読書を趣味とするお年寄りのほとんどは寂しそうに見えない**ことに気づきました。本の登場人物がそのお年寄りたちの仲間でした。86歳の女性は、心臓が悪いために家から出ることができませんでした。一人きりで家にこもらなければならない点についてどう感じるかと看護教員が尋ねると、女性は本を指さして言ったそうです。「ひとりぼっちではないわ。世界のすべてがこうしてここにあるからね」。

その後教員が行った調査によると、ほかのお年寄りもこの考えに同意しました。新聞か書籍かに関係なく、最も多く**読書する人は、平均的に寂しさを感じにくい**ことがわかったのです。数多くの研究調査が、小説を読んで他人の頭の中を旅することで、私たちの共感レベルがどの程度高まるか、私たちをよりよい人間にするのかを追究してきました。18世紀とは異なり、いまは読書はよいことと捉えられていますが、それでも読書が人を救う力の真価はまだまだ見過ごされていると私は思います。

では、あなたが休息のために何かを読むとして、何を読むかは重要なのでしょうか？

■ リラックスするために何を読むか

ときに人は、心身の健康を明確な目的に据えて、特定の本を読みます。これは読書療法として知られています。この言葉が指す範囲は割と大雑把で、たとえば失恋の痛みを癒やすために『ジェイン・エア』を読むのも、不安や憂うつに対処する実践的なマニュアル本を読むのも、含まれます。

しかし、小説を読む療法のほうがよく知られていて効果も高い可能性があるにもかかわらず、体系的に検証されて効果を認められてきたのはマニュアル本を用いた療法です。

休みたいときにはどんな種類の本を読むべきか、データからわかっていることはあるのでしょうか？　読む本の半分は教師に「ゴミ」と呼ばれるジャンルのものだと、「遊読」者は話していました。そもそも、教師の点数を稼ぐ必要はあるでしょうか？

結局は個人的な好みに従って、本を選ぶでしょう。でも大切なのは、チクセントミハイが言う**「フロー」の状態になれそうな本かどうかです。これは、すべてを忘れてのめり込むあまりに時間の経過さえ感じない状態を指します。**面白すぎて時間が早く過ぎ去ることではありません。現実の時間とは違うところで何かを経験しているかのように感じることです。

チクセントミハイの最適経験理論によると、自分に適した活動に没頭しているときには、ほかの何も意識にのぼりません。フローの状態をつくりだせる活動には、いくつもの条件があります。

労力はともないますが、フローは人間にすでに備わっている能力なので、いったんその状態になれれば効果は即座に現れます。

フローの条件を満たす活動が読書だという人は一定数います。それどころか、チクセントミハイは、フローを引き起こす可能性のある活動のなかで読書を支持した人が最も多かった、と明かしています。しかし、疑問は残ります。フローの状態になるには、どのくらいの労力が必要なのでしょう？

最小限でよさそうではありますが、まずはガーデニングをしたり絵を描いたりなど、フローの可能性のあるほかの活動について考えてみましょう。もっと激しい、ロッククライミングでもいいでしょう。

このような活動には当然かなりの労力が必要ですが、それでも本人は最高の最適経験をしていると感じます。

だから私は、**休息のためには簡単な本を選ぶ必要があるという通説は間違い**だと思うのです。休暇に持っていくのはエアポート・ノベル［機内小説とも言われる空港でよく売られている大衆小説］やチックリット［若い女性と社会的状況がテーマの娯楽小説］、デュードリット［男性向けの娯楽小説］がいいとよく言われがちです。

でもしかすると、これは休暇には適さないジャンルかもしれません。日常生活で読書できる時間が就寝前のみの場合、そこで難しい本を選ぶとほんの数ページで集中力が切れ、疲労に負けて眠ってしまうことがあるでしょう。

一方で休暇中には、日中の目が冴えている時間にたっぷりと本に時間を費やせます。いつもより複雑な本に深く没頭する、年に一度のチャンスなのかもしれません。夢中になればなるほど、フローの状態に達しやすくなります。そしてフローの状態に達しやすくなるほど、安らげる可能性も高まるのです。

というわけで、プールサイドの寝椅子で満を持して『ホーキング、宇宙を語る』や『ユリシーズ』『失われた時を求めて』に挑戦するのが、究極の安らぎを得る手段なのかもしれません。ぜひ試してみてください！

読書できる時間をすべて注いで一度に小説1冊のみを読み進める人もいれば、ベッドの横にほこりをかぶった本のタワーをつくり、そのなかからおそらく何冊も同時に読み進め、そのうちいくつかは決して読み終える日は来ないという人もいるでしょう。

もしあなたが後者のタイプで（私もそうです、新聞紙だけでなく、ベッドの脇には本も積み重ねています）、読みかけの本の内容を覚えていられるならば、いつでも好きなタイミングで、そのときの気分に合う本や真逆の本を選んで読むことができます。

辛い思いをしている人は気分がよくなることを望んで、よい気分の人はそれを終わらせたくないという気持ちから、気分を高めてくれる本を選ぶ傾向があると、研究が明かしています。

でもこれでは、落ち込んだ気持ちを立て直すにしてもよい気分を持続させるにしても、みんなが一様に楽しい内容の本を選ぶことになります。

もちろん、現実は異なります。苦痛や暴力にあふれたスリラーはいつも変わらない人気を集めますし、涙を誘う映画を好む人が多いように悲しい内容の本も好まれています。なかなか難解で胸が張り裂けそうなほどに悲しいマックス・ポーターの詩的な小説『Grief Is the Thing with Feathers（悲嘆には羽根がある）』のヒットがその証拠です。

■ ネタバレ注意とリラックス

小説の結末を知っているほうが、読むときによりリラックスできるという人もいます。ネタバレなんてありえないと思うかもしれませんが、面白いことに、**ネタバレのメリットは、よりスムーズに読み進められるというだけではありません。結末を知らない場合に比べて読書をもっと楽しめる、と言う人が多くいます。**

こうした調査は、基本的には短編小説で行われています。長編小説とは費やしてきた時間も違うでしょうから、本当にネタバレをいっさい気にしないのかには、疑問が残ります。とはいえ、小説の最後のページをまず読み、次に冒頭から読んで、物語がどう展開してそのクライマックスにたどり着くのかを楽しむ人はいます。

そして、すでに筋書きや雰囲気、登場人物をよく知っているお気に入りの本を、好んで何度も読み返す人も多くいます。

一方で、本の結末を先に知るなんてとんでもない、と言う人もいます。

極端な例として、ロシアのある工学者が、南極調査基地で長く辛い冬を共に耐えた同僚を刺した罪で起訴されました。刺すに至った理由は、調査基地に置かれた貴重な本の結末を、その同僚がしつこく暴露したからだという報道がいくつかありました。これを否定する記事もいくつか出たため、本当かどうかはもはやわかりません。

でも真実味があるだけでも、私たちがどれほど強く、自分で読むまでは結末を知りたくないという気持ちを抱きうるかがわかります。

これは、どのようなタイプの作品を読むかにも大きく関係します（この先、ネタバレ注意）。『ロミオとジュリエット』で主人公が二人とも死ぬと知っていながら、取り返しがつかなくなる前に誰か二人を助けてとつい願ってしまうのと、犯人捜しを楽しむミステリーで先に殺人犯を知ってしまうのとでは、話が別です。また、シェイクスピアの戯曲を読む動機は筋書きのみではありません。楽しみの大部分は、言語の美しさと、登場人物の複雑な心理描写にあります。

もちろん、意図的に結末を最初に持ってきて、そこに至るまでの過程を明かしていく構成の小説もあります。この場合、その本を前に読んだことがない限り、ゆっくりと真実が明かされる過程が大きな楽しみのひとつです。

調査によると、純粋に楽しむ目的でフィクションを好む人ほど、結末が最後までわからない物語を求めるようです。反対に、本に記された意見や感情にあまりのめり込まない人は、筋書きを先に知ることに抵抗がありませんでした。

南アフリカの研究で集められた本の虫のなかには、初めて読むときよりも結末を知ったうえで再読するときのほうがさらに楽しめる、と話す人もいました。そのうち一人は、世の中には本当に心から楽しめる本は数少ないので、好きな本は筋書きをすぐに忘れて10回くらい再読できるように、できるだけ速く読む、と話していました。

■ 音読について

読書の章を締めくくる前に、他人に本を読んでもらうことについて再び触れたいと思います。これはとても特別な行為です。

何年も前に、オックスフォードの貧困地域の農園にある、ある組織を訪ねたことがあります。そこでは母親たちに、まだ小さな赤ん坊への読み聞かせを推奨していました。母親たちは、赤ん坊はまだ理解しないから読み聞かせをしても意味がないと、初めは懐疑的な様子でした。しかしすぐに、赤ん坊が注意を向けられてどれほど喜び、母親の声を聞いてどれほど落ち着いた様子になるかを目の当たりにしました。生後わずか3ヵ月でも、読み聞かせがその後の読み書き能力の向上に繋がりうるという証拠はたくさんあります。これは、単に本を見て過ごすことに慣れるからとも考えられます。

最近は、読み聞かせを聞くのは子どもだけではなくなってきました。音読会の人気が高まっており、ブッククラブに似てはいますが、当日までに各自で本を読んでくるのではなく、会合で一人が音読するのをほかの全員が聞く構成です。一つひとつの場面をみんなで一緒に経験します。ある意味、劇場や映画館に行くのと似ています。

たいていの場合、ベテラン会員や役者が音読役を担います。メンバーが順に音読していく会もあります。いずれにしても、『King of the Castle』や『ブライトン・ロック』『オリヴァー・ツイスト』『マクベス』などをちまちまと読み進める学校の英語の授業とは違うようです。一人が１段落ずつ順に音読させられ、自分の番で少しでも感情を込めてしまってダサいと思われないよう、とにかくみんなが一本調子を貫くあの授業です。

私は読み聞かせをされると、少しくつろぎすぎてしまうようです。

この本では睡眠についてはあまり語らないようにしてきましたが、誰かの音読を聞いていると、休息が睡眠へと一変してしまいます。

何年も前から、夫は就寝前にベッドで私に本を読んでくれます。私たちがバックパッカーをしていてもっと時間があった頃、私も交代で音読をしていました。でも最近は、夫ばかりです。夫の音読がないといつまで経っても眠れない日もありますが、夫が音読すると、まるで私の頭の中のスイッチが切られたような状態になります。夫が言うには、１ページ読み終える前に私はぐっすりと眠りはじめるのだそうです。

懸命に「熱い一人芝居」をしているのによく眠れるものだと、夫はあきれています。私が聞き逃した部分は、次の晩に読み直さなければなりません。私はたくさんの本をこのやり方で「読んで」きました。ジョージ・エリオットの『ミドルマーチ』からグレアム・グリーンの『おとなしいアメリカ人』、そして最近ではトレイシー・ソーンがハートフォードシャーでの子ども時代を綴った自叙伝『アナザー・プラネット』などなど。

他人による音読が持つ何らかの力が、私のせわしない頭の中を一瞬で静かにさせ、眠りに送り出すのです。夫は私が眠りについてからもしばらくは読みつづけなければなりません。読むのをやめると私が起きるからです。まるで魔法の睡眠薬を私の耳に注ぎ込んでいるかのようです。

このようなサービスを提供するテクノロジーに頼る人もいます。

人気を増しているオーディオブックや睡眠導入アプリが、心の安まる物語を読んでくれます。睡眠導入アプリは睡眠を誘うようにつくられているため、面白い出来事は序盤にしか起こりません。

ナレーターは穏やかな調子でゆっくりと、終始一定のリズムを保って読みます。熱い一人芝居などはありません。

こうしたアプリは何千何万ものダウンロード数を記録しており、読者の心を摑む小説よりも人々を寝かしつける小説を書いたほうがよっぽど稼ぎがいい、なんて言う作家もいます。

というわけで、**自分では読まないなら、誰か読んでくれる人を見つけましょう。**

マインドフルに読んでもマインドレスに読んでもかまいません。好きに読んでいいのです。読書は思考の移ろいの性質を変えることで、人を休ませます。反すう思考や、何がいけないのだろうと繰り返してしまう思考パターンから、引っ張り出します。そして普段から空想する人に対しても、読書は新しい空想内容を提供します。一人で休みたいけれど寂しさを感じたくはないとき、小説がまさにうってつけなのです。

これでも、もっと本を読もうとは思えないなら、きっと初耳であろうメリットをもうひとつお教えしましょう。

本、雑誌、新聞を前の週に合計何時間読んだかを、3000人以上に尋ねました。すると41%は本はいっさい読まなかったと答えました。残りは熱心な読書家でした。

全員をその後10年追跡調査し、そのあいだに4分の1強が亡くなりましたが、本の虫にとってはうれしいことに、新聞や雑誌しか読まない人と比べると**本を読む人は平均2年間近く長生きした**そうです。

追跡開始時の健康状態、経済状態、教育レベルをすべて考慮に入れても、やはり違いは見られました。

読書のような座ったままの活動がこれほど健康によい影響を与えうるというのは驚きです。

私たちの認識以上に特別な休息方法が、読書なのかもしれません。

しっかりと休息するためのルール

休息は大切だと、ここまで読んでくださった方にはおわかりいただけたと思います。休息について、私たちはもっと真剣に考えなければなりません。睡眠と同じく、休息だって贅沢品ではないのです。充実した健康的な日々を送るために、休息を欠くことはできません。

どのようにすれば一番よく休めるかは、厳密には各自の好みと選択次第です。でも、この本でも紹介してきた数々の学術研究があらわにした事実を取り入れて、よりよい休息のために環境を最大限整えられるよう、私なりのガイドをつくりました。

(1) 必ず十分な量の休息をとる

睡眠不足を防ぎたい人が睡眠時間を記録するように、まずは休息時間を測ることから始めましょう。

昨日を思い出してみてください。精神と身体を充電するのに十分な時間をとりましたか？　少し立ち止まって振り返る余裕はありましたか？　作業するばかりでなく思考する機会はありましたか？　スイッチをオフにする機会も持てましたか？

休息調査で心身の健康の度合いが最も高かった人たちは、一日5～6時間の休息をとっていました。

かなり多いように聞こえますし、とても無理だと思うかもしれません。でも、あなたもすでに自分が思うよりも多く休息している可能性があります。

時間の使い方に関するアンケート調査により、イギリスの男性は一日に平均6時間9分を余暇に使うことがわかっています。女性はまずまずの5時間29分でした。

もちろんこれは平均値であり、小さい子どもを持つ親や親戚の世話をする人などがとれる自由時間はこれよりもはるかに少ないでしょう。

また、このデータは平日の休息時間を尋ねたもので、回答者の中には、平日には夜に2時間しか自由時間をとれなくても週末にはたっぷりと自由時間を楽しむ人もきっといるでしょう。
休息を長時間とればとるほどよいという問題でもありません。
休息調査では、**一日にとる休息がゼロの人は、長く休息する人と比べると心身の健康のスコアが明らかに低く出ました。**

しかし**休息時間が一日に6時間を超えても、健康スコアは下がりました。**これはもしかすると、病気や職の関係で休息を余儀なくされている人たちかもしれません。長期間の病気療養休暇中の人には余暇を楽しめない傾向があること、また余暇に割く時間が少ない人のほうが余暇の時間をより楽しむ傾向があると示した別の研究結果とも、一致しています。

時間の使い方を研究するジョナサン・ゲルシュニーは、その人が持つ自由時間の量に比例して余暇活動の楽しさも増すものの、ある点を越えて自由時間がありすぎると今度は楽しさが減りはじめることを確認しました。これも休息調査の結果と同じです。

最適な休息時間である5時間には到底届かなくても、心配はいりません。その多忙なスケジュールから休息時間を生み出す方法は、あなたが思うよりも実はたくさんあるのです。

そして当然ながら、**5時間の休息というのは、何も活動しない時間をそれだけ確保しろという意味ではありません。**食事をつくったり、週末に走りに行ったりするのが安らげる楽しい過ごし方であり、それを休息時間とみなす人もいるでしょう。この本を通して見てきたとおり、**本人が休んでいると思えるのなら、何をしたっていい**のです。

それから、自分に必要な休息時間は何時間かという考えにとらわれすぎるのはよくありません。**自分は十分に休息をとれていると感じるのであれば、平均5時間には届かないとしても、あなたの感覚がきっと正しい**のです。

(2) 休息に適した材料を選ぶ

最高に質の高い休息をとるには、自分が安らいだ気持ちになるために何が欠かせないのかを知ることが大切です。この本で紹介してきた休息活動の数々が、しっかりと休息するための材料を提案してくれました。

- **他人から距離をとる**
- **身体だけではなく頭を休ませる**
- **頭を休めるために身体を動かす**
- **心配事から気をそらす**
- **思考を移ろわせる**
- **特に何の成果も出さないことを自分に許す**

特に惹かれる材料がきっとあると思います。

最高の休息のレシピをつくるには、どれを重視してどれをしないかを自分に尋ねることです。数は好きなだけ選んでかまいません。運動を休息と感じる人は全体の15％にとどまりますが、彼らにとっては運動が必須の材料。つまり人それぞれなのです。

次に、材料をどの活動と組み合わせると自分専用の休息のレシピができるかを考えます。あなた専用の休息には、ほかの人が選んだトップ10の活動を使わないかもしれませんが、そこは重要ではありません。

アメリカの研究チームは、学生が安らげると感じるのが土日に限られることを明らかにし、それは自分の時間をコントロールできる感覚を持てるのがその二日間のみだからだと結論づけました。学生たちは月曜から働くわけではないため、週末に何をしようと自由です。活動をぎゅうぎゅうに詰めることだってできます。要するに、**自分がやりたいことをしているということ自体が、リラックスに繋がる**のです。

ここから教訓を得られます。

この本で見てきたように、本当にあらゆる活動が休息になる可能性があります。休むことができたと感じた学生の共通点は、さまざまな活動の組み合わせを心から楽しむことでした。わかりやすくリラックスできる活動や、すべきことから心理的に引き離して気をそらしてくれる活動など、何でもいいのです。

重要なのは、**ある活動がなぜ自分に安らぎをもたらす、またはもたらさないのかを、時間をとって考えてみる**ことです。

心身ともにくたびれ果てたとき、何が一番エネルギーを再び満たしてくれるでしょう？　自分の中の煩わしい考えごとや他人の要求からも、本当に気をそらしてくれるものは何でしょう？　罪悪感を抱いたり周りからの批判を気にすることなく、ペースを落としたり立ち止まったりさせてくれるものは何でしょう？

また、タイミングも重要です。状況が違えば、また違った活動のほうが休息になることがあります。身体が疲れているなら、テレビの前で横になるのがいいでしょう。もし仕事や心配事で精神的な疲労が溜まっているなら、外を散歩すると気分転換になり効果的かもしれません。

(3)　休息する許可を自分に与える

理想の休息のための材料を選び、どうにかそれを実行に移す時間をひねり出したら、次にとるべきステップがあります。**休む許可を与えることです**。

疲れたとき、休憩を自分に許さずにもうひと頑張りしてしまうことが、どのくらいありますか？　それから、早起きするほうが偉いわけではないことを思い出してください。要はあなたに合うか合わないかです。一日の始まりを休息から始めることが可能なら、つまり朝寝坊できるなら、ぜひそうしましょう。

(4) ストレスを感じたら、好きな休息活動を15分間するよう自分に指示を出す

時間に追われているとき、素早く気分を変えてくれる活動が何かありますか？　心配事の山から即座にあなたを連れ出して、心を落ち着かせてくれる活動です。マインドフルネスや音楽、読書かもしれません。休息調査のトップ10には入らなかった何かかもしれません。

私は平日の昼食後、本当に忙しくて仕事に戻らなければならないときに15分間庭をぶらぶらすることに、罪悪感を持っていました。

でも休息について研究しはじめてからは、自分の小さな温室や花壇の中で過ごす時間を、心身の健康を向上させるための時間として捉えるようになりました。

いまは**自分のメンタルヘルスのために自分に「指示を出した」と考えています**。15分間ガーデニングをしなさい、と。

そうすると明らかに気持ちも楽になりました。デスクに戻ってから、仕事にいっそうしっかりと集中できています。

(5) 見過ごしがちな休息時間に目を光らせる

毎日ただただ多忙なのだとすれば、**実は休息になっている時間があることに気づくのも重要です。**

時間の使い方に関する研究は、私たちが認識しているよりも多くの休息時間をとっていることを示していました。ならば、そこから安らぎをもっと感じるための第一のステップは、見過ごしがちな休息時間を正しく認識することです。**自分は休んでいると認識してこそ、その時間をしっかりと味わうことができる**のです。

目的と意識を持って休息をとりましょう。ぶらぶらしても、特に何もしなくてもかまいません。ただそのぶらぶら、ごろごろすることのなかに、満足感のある心安らぐ要素をしっかりと感じ取りましょう。それに注意を向け、大切にしましょう。貴重な休息時間をただ素通りさせてはいけません。

(6) 無駄な時間を休息時間と捉える

時間に追われているとき、予期しない休息の機会が突然訪れることもあります。「第5位特に何もしない」で紹介した実験で、部屋に入れられて何もすることがない被験者が退屈を紛らわすために自分に電気ショックを与えたものがありました。

この人たちも、別の機会であればリラックスできる時間を楽しんだのでしょうが、この実験では休息を強要されたためにリラックスする機会とは捉えられなかったのです。何もするなと強制されるのは拷問のようなもの。あまりにも辛かったために、被験者たちは物理的な痛みのほうを好んだのです。

考えてみれば、この実験ほど極端な結果にはならないにしろ、**私たちは予期せぬ休息の機会をしばしばマイナスに捉えてしまいます。**

多忙なスケジュールの邪魔をしたり、しばらく何もできない状態にしたりする出来事は、いらだたしくて意味のない時間、非常にしゃくにさわる迷惑な時間を生みます。ただくつろいでリラックスしてしまえばいいのに、私たちは無為に何かを待ちながら、その時間を潰すのです。

10分間の電車の遅れに激怒してストレスをためる代わりに、この時間をちょっとした休息時間と捉えてはどうでしょう？　報告書を出し終えてから会議に向かうまでの15分間をメールの返信に費やすのではなく、静かに座って過ごしたり少し散歩したりするのはどうでしょう？

郵便局の長い列に並んで待つ時間を、楽しい休憩時間として、つまり、立ち止まり、空想し、エネルギーを補充するチャンスと見てはどうでしょう？

(7) 忙しさに執着しない

いまごろこう抗議している人がいても無理はありません。「たしかに、休むべきというのはわかるけど、長時間働いて、家のことをして、ほかにもいろんなことを終わらせていたら、休む時間なんて本当にないんだけど」と。

言いたいことはわかります。それでも私は、**毎日のスケジュールをもう一度眺めて、うんざりするような終わりのないToDoリストを精査する**ことをおすすめします。

人は自分が働いた時間の長さを一般的に多く見積もりがちであると、まずは認識すべきです。ライブイベントで質問すると、いつもお客さんのほとんどが週45〜50時間働いていると言いますが、これは正規雇用されている人の実際の平均労働時間、週39時間を大幅に超えています。そこで同じお客さんに、ひとつ前の週について同じ質問をし、実際に計算してもらうと、思っていたよりも労働時間が少ないことに気づく人がたくさんいます。

忙しい1週間のように思えたかもしれませんが、二日程度残業したとしても毎日ではありませんでした。それにきっと一日は早めに切り上げたりしたのでしょう。

それでも、休息を予定に組み込むのは難しいかもしれません。この問題への対処法はふたつあります。

ひとつは、**数日に一度は2時間程度をあらかじめ確保しておいて、ToDoリストに溜まった小さな雑務を片っ端から完了していく時間にします。**一度にやっつけてしまえば、わずか数分で終わるのに何日も残していたタスクがリストの中にどれほどあったか、きっと驚くでしょう。

そしてタスクをリストから消す（紙、画面、頭の中のどれでも）ときの何とも言えない満足感といったら。しかも小さなタスクをいくつか片付けると、もう少し大きなタスクに取り組む意欲も湧いてくるものです。

しかしそれでもすべては終えられないでしょう。

ここでもうひとつの対処法の登場です。**やることを全部消化する日は来ないと受け入れる**のです。そんなのは実現不可能な夢で、追求しても骨折り損です。

考えてもみてください。奇跡でも起きて、ある晩リスト上のすべてのタスクに完了マークが入ったとしても、次の日がまた新たなタスクを連れてきます。どれほど勤勉に手際よくこなしたとしても、不測の事態も起こります。

日常にもいろいろなことが起きます。水道管は漏れ、急に尋ねてくる人がいて、イベントが予定表にあふれ、受信ボックスには新着メールが入り、誰かからのちょっとしたお願いがメッセージで届きます。

でも、それでいいのです。ToDoリストが終わる日は来ません。あなたはそう受け入れたのです。できる限り早く新しいタスクに取りかかるしかないでしょう。でもストレスの種にはしないことです。とりあえずいまは、休みましょう。

仕事にも余暇にも時間をもっと効率的に使う時間管理術なら、巷にあふれています。しかし、実際に日常生活のなかで検証されたテクニックはとても少なく、たくさんのタスクを短い時間に詰め込むのはそもそも心を乱す行為です。

たしかに、職場でお喋りに費やす無駄な時間があったり、もっと集中すれば少し早く仕事をあがれたりするのは事実かもしれません。

それでもやっぱり、同僚との楽しい時間や、ときどきインスタグラムをチェックする時間こそが仕事を楽しいもの、耐えられるものにしている可能性もあります。

記者オリバー・バークマンは、**いつも時間に追われているように感じる人は、何をやめるかを自発的に決める必要がある**、と提案しています。

バークマンが挙げた例は、たとえば、読書クラブに参加するのをやめる。料理の腕を上げるのは無理だと受け入れて、難しい料理に挑戦するのをやめる。または、デートの約束を取り付けるのが難しい相手を必死に追いかけるのをやめるなどです

これは優れたアドバイスですが、ひとつ注意事項があります。何をやめるかはとても慎重に選んでください。安らぎを感じる手段だった活動、そしてそのおかげでほかのことを何とか

やっていけていた活動を、うっかり手放してはいけません。

代わりに、かつては楽しんでいたのに、いまは面倒な義務となってしまった活動をやめましょう。

私はスペイン語の授業をとるのをやめました。地下鉄に10分乗って授業に向かうあいだに宿題を片付けるのが、とうに50回を超えたからです。スペイン語への意欲はありましたし、先生も大好きでしたが、私の時間を圧迫する要素のひとつとなっていたことに気づきました。そして時間に追われるせいで、面白い授業も楽しい時間ではなくストレスの種となっていました。

この場合、授業をとるのをやめたのは正しい決断です。でも、たとえば練習に時間と手間がとられるから聖歌隊から抜けよう、という決断はどうでしょう。もし週に一度歌うことで本当にリフレッシュできていたのなら、聖歌隊をやめてしまっては、逆に生産性は下がるでしょう。

(8)「ノー」と言う

まとまった時間を確保するには、スケジュールにもっと徹底的に手を入れなければならないでしょう。

私のように手帳を予定でびっしりと埋めずにはいられない人にとっては、これは難しいかもしれません。ここで、私の著書からひとつヒントを紹介します（ほら、こうして自分の仕事量をちょっと減らしました）。

人はつい、未来の自分にはもっと自由時間があると思いがちです。でも、時間の捉え方に関する研究で得られたデータはどれも、そうではないと示しています。

いまよりも手際がよく規律正しい自分に勝手にアップデートされるわけではありません。予想外に発生したタスクや問題にこれからも邪魔をされつづけ、相変わらず何もかもに予想以上の時間がかかります。関わる活動やイベントの数を意識的に切り捨てない限り、来年は今年以上に自分のための時間を持てません。

では、半年に一度、丸二日間かかる大きな会議に招集されるとしたら、どうしますか？　まずは自分にこう尋ねてみてはどうでしょう。いまから2週間以内にその二日間の会議を押し込むとなったら、いまはそんな余裕はないのに、と不安になるだろうか？

もし答えがイエスなら、今年の会議は断るほうがいいでしょう。数ヵ月後に実際に案内が来たときに、いまよりも時間に余裕を持てている可能性は非常に低いからです。

もしくは、こうするのはどうでしょう？　来年に何かの委員を務めるよう依頼されたとします。ところで、明日出る予定の別のミーティングの資料はもう読みましたか？　まだなら、委員にはならないことです。普段のスケジュールを変える計画を立てない限り、いまの状況はずっと続きます。そして、経験上わかると思いますが、委員になったうえで、そんな計画を立てられる可能性は低いです。

(9) 手帳にアポと同じように休憩を書き込む

これは「Ｔｏ Ｄｏリスト」文化に浸かっていて、手際よくスケジュールどおりに生活したい性分の人への、私からの提案です。**休憩時間をあらかじめスケジュールに入れるのです。**そう、変な感じがするかもしれませんが、「休息」や「休憩」と予定表に書き込みます。

一日の始まりに、その日とる3〜4回分の休憩のタイミングを決めます。長い休憩である必要はありません。数分で大丈夫です。

その休憩で何をするかを決め、確実に休めるようにします。新鮮な空気を吸いに外に出るのが理想的ですが、少なくとも違う部屋に行くようにします。違う部署の友人のところで少しお喋りをしてもいいでしょう。キッチンで自分と同僚の分のお茶を淹れるのもいいでしょう。

もし上司が横目でじろりと見てくるなら、小休憩をとると個人の心身の健康によいだけでなく職場全体の生産性向上にも繋がることを示す証拠があるのです、と伝えましょう。ウィンウィンです。

休憩には、自分の職場から離れることが絶対に必要です。数分間フェイスブックを眺めたりYouTubeで動画を見たりするのも、いま書いている報告書からの気晴らしにはなるかもしれません。

でも、**椅子から立ち上がって画面の前をいったん離れるほうがいっそう休息になります。**

それと、**できる限りデスクでお昼を食べるのは避けることです。**デスクでの昼食を禁止している会社もあるようで、それもよいことですが、まずは従業員が昼食休憩をしっかりととれる時間を確保してやることが最優先です。

これは本当に素晴らしい進歩、むしろ古きよき時代への回帰となるでしょう。想像してみてください。１時間の昼休みに、定期的なお茶休憩。この両方を最後に楽しんだのはいつでしたか？

現代でも賢明な企業は、デスクから離れる時間が従業員にとってどれほど大切かを理解しています。しかし、もし会社が食堂を閉鎖し、お茶くみ係を廃止したならば、あなたが率先してちゃんとしたランチを食べに出たり、紅茶とビスケットのある15分休憩をとったりしましょう。休憩を手帳に書き込んだら、**予定どおりに休憩をとらなくてはと負担に感じてはいけません。**安らぎを感じることが目的なのですから。

(10) 日常に小さな安らぎの瞬間をつくる

日常で避けてとおれないタスクのなかで、もっと心穏やかにこなせるものはないか探してみましょう。私たちは、できるだけ予定どおりに事を運ぼうと、とにかく急ぐことに慣れてしまっています。すべてを最大限効率的に行おうとしています。でも、その必要はないのです。ときどきシャワーの代わりに湯船に浸かってはどうでしょう？　そして湯の消費量が増える分の埋め合わせとして、ときどき買い物に車を使わずに歩いて行ってはどうでしょう？

いつも時間効率のよいほうを選ぶ必要はないのに、もう癖になっているのです。公園を突っ切る道を選ぶと10分余計にかかるとしても、その日はずっと幸せなよい気分でいられるかもしれません。

電車に乗って腰を下ろした瞬間にメールチェックをするのは、たいてい必須ではありません。窓の外を見て知らない他人の裏庭を眺め、それぞれの人生に思いを巡らせていいのです。学生時代の授業中にしたらほめられなかったことを、やってみましょう。空想する。宙を見つめる。落書きする。ジグソーパズルや、（好みは分かれるでしょうが）大人の塗り絵に手を出すのもありです。

(11)　休息ボックスをつくる

セルフケアの最新アイデアを取り入れるのが好きなら、この項目は合うかもしれません。セルフケアのアイデアにピンとこないなら、インスタグラムでぜひ検索を。セルフケア方法の提案が無限に出てきます。

何かの販売が魂胆であるように見えるのは、たしかに否定できません。自分を大切に扱うことには大賛成ですが、どうして高級なオイルや香り付きキャンドル、フェイスローラー、バスピロー、カシミアのブランケット、職人のチョコレートが必須となるのでしょう？

ちょっとした贅沢にも大賛成ですが、雨の月曜日には Uber で出社したり、2週間に一度は週末を高級スパで過ごしたりするのは、本当によいアイデアなのでしょうか？

どうやら私には、そうする資格があるらしいのです。何かを売る人たちは決まってそう言ってくれます。精一杯疑いの目で見ますが、彼らは確かに流れをつかんでいます。セルフケア業界にブームが訪れているのです。アメリカだけでも、いまや市場規模は年4・2兆ドルと言われています。

この過激な商業主義という欠点があっても、セルフケアにはもっと大きなメリットもあります。

私としては、セルフケアの流行は、若い世代が休息の重要性を年上の世代よりも深く理解しはじめていることの表れだと受け取りたいです。休息を再び求め、日々のストレスから自分を回復させるために時間を確保しようとしている証拠だと思うのです。

メンタルヘルスに問題を抱える人が、自分なりのセルフケア手順をブログで紹介することも増えてきました。日常の小さなことを思いどおりにいかせる方法について、実践的なアドバイスを載せています。

たとえば、私が「第4位　音楽を聴く」で紹介した、「ハッピーボックス」のようなものをつくる案です。自分のためだけのボックスをつくることが狙いです。

当然、これでメンタルヘルスの深刻な問題を防いだり、専門家を受診する代わりになったりするわけではありません。でも、精神の状態が悪化していると感じたときや、専門的な助言や治療を待つあいだに、このようなセルフケアを行って少し症状がよくなったケースは一定数あります。

これを知って、**自分だけの「休息ボックス」をつくればよい効果が得られるのではないか**と私は考えました。自分に安らぎをもたらしてくれる物でボックスをいっぱいにするのです。

私なら、かぎ針と毛糸玉、植物の種、読めばのめり込んでしまう短編集、リラックスできる曲のプレイリスト、ストレッチエクササイズが書かれたカード数枚、それから休息をとるには座っている必要はないというのを覚えているので、ランニング用の靴下を入れるのもいいなと思います。

あなたなら、休息ボックスに何を入れますか？　ここに空のボックスを置いておくので、ぜひご自由に。

(12) 安らぎを得る努力をストレスにしない

戦略的に休息を取り入れることはできます。でも、一番必要なのは、日常生活で休息と活動、忙しさと怠惰さのリズムをよりよく管理する方法を見つけることです。それも、休息をToDoリストにタスクとして加えることなく。

休息を受け入れ、もっと楽しみ、真剣に捉えましょう、という私の呼びかけを心に留めてもらえるのはうれしいですが、やりすぎたり思い悩んだりしてはいけません。休息中毒になったり休息にうんざりしたりしないようにしましょう。スケジュール帳を休息で埋めたり、休憩をどうにか守らなければと苦しんだりするのもいけません。ときには休息からの休息もいるのです。健康な暮らしには、バランス、多様さ、適度さが必要です。休息だって、同じです。

あなたがこの本をいま読み終えたのなら（情報だけを求めていきなり最後のページに飛んだわけではないなら）、一番休息になる活動をひとつやり終えたことになります。この本を読んだことで、人生に休息をもっとたくさん取り入れる旅路の大きな一歩を、あなたはしっかりと踏み出しました。おめでとうございます！

謝辞

作家で心理学者のチャールズ・ファニーハフから一本の電話を受けたのは、数年前のこと。ダラム大学の研究者フェリシティ・カラードが率いる、ある小規模グループへのお誘いをいただきました。芸術家、詩人、歴史学者などからなるそのグループは、2年間かけてあるテーマを探求するために、ロンドンのウェルカムコレクションに助成金の申請を計画していました。そのテーマというのが、休息です。私がコアチームに入り、活動を始めて何ヵ月か経った頃、なんとウェルカム財団からの認可が下りました。グループにHubbubと名付け、さらに40名以上の方に協力を要請しました。うち何名かは本文にも登場しますが、その一人ひとりが、ときに講義や美術作品を通して、ときに聡明なたった一言で、私の休息についての考え方に影響を与えてくれました。特に、フェリシティ・カラード、ジェームズ・ウィルクス、チャールズ・ファニーハフ、キンバリー・ステインズ、そしてウェルカムコレクションのハリエット・マーティン、ロージー・スタンバリー、クリス・ハッサン、サイモン・チャップリン、ナタリー・コーに、ここで改めて敬意を表します。私たちチームが休息の世界にどっぷりと浸って（想像以上にきつい仕事です）いられるように、惜しみないサポートをいただきました。

Hubbub の活動の一環として私が休息調査を企画した後、ＢＢＣラジオ４の委託編集者モヒット・バカヤ、ＢＢＣラジオサイエンスユニットの編集者デボラ・コーエン、ワールドサービスの委託編集者スティーブ・ティザリントンのおかげで、ラジオ４とワールドサービスの両方でアンケート調査を実施でき、多様な視聴者にアプローチできました。ベン・オルダーソン＝デイ、ジュリア・ポエリオ、ジェマ・ルイスが、すでにご紹介した Hubbub メンバーとともに、途方もない労力をかけて結果のテキスト化と分析を行ってくださいました。ラジオ４のシリーズ番組「Anatomy of Rest」のプロデューサー、ジェラルディン・フィッツジェラルドは、私の研究テーマを番組に採用し、根気よい取り組みの末に素晴らしい内容に仕上げながらも、私の名前ばかりを前面に出してくださいました。私にとってはよき友人でもある、並外れてクリエイティブな頭脳を持ったプロデューサーです。それから、時間を割いてインタビューに応じてくださった皆さまにも感謝しています。うち何名かはこの本の中で紹介させていただきました。

休息調査後も私は休息について考え続け、Hubbub としてはしてこなかった何かをしよう、つまり人気の休息方法を一つひとつ深く追究しようと決断しました。ローナ・スチュワートはとても頭の切れる研究調査員で、テレビ、入浴、読書の章では、なくてはならない人物でした。それから言うまでもなく、無数の学者の方々が時間を費やして実験や調査を行っていなければ、この本で数々のエビデンスを評価することはできませんでした。私が特に大きな影響を受けた研究は、本文中で紹介させていただきました。余暇の使い方の研究に関しては、ミハイ・チクセントミハイとジョナサン・ゲルシュニーが実施したものにとりわけ多大なる影響を受けました。

孤独に関する章ではBBC孤独調査から多くのデータを引用しましたが、この調査においては幸運なことに、三人のとても聡明な女性と組むことができました。パメラ・クウォルター、マニュエラ・バレート、クリスティーナ・ヴィクターです。デイヴィッド・ヴィンセント、バギータ・ガタースリーベン、ロイ・レイマン、マイルズ・リチャードソンをはじめとするたくさんの学者の方々が、お忙しいなか私に論文を送り、問いに回答をくださいました。マシス・ルカッセン、チャールズ・ファニーハフ、キャサリン・ラヴデイ、アダム・ラザフォードは、親切にもこの本の一部を先に読み、有益な意見をくださいました。

熱意に溢れた実力派の素晴らしい出版社、キャノンゲートの皆さまにも、とても感謝しています。特に、ルーシー・ズウとアンドレア・ジョイス、そして穏やかで博識、頭の回転の速い担当編集者サイモン・ソログッドに、とりわけ大きな謝意を表します。ソログッドと、担当エージェントのジャンクロウ&ネスビットの優秀な担当者ウィル・フランシス、そして丁寧で忍耐強いコピーエディターのオクタヴィア・リーヴが、この本を素晴らしい作品に仕上げてくださいました。

最後に、夫ティムに謝意を表します。休息についての本を執筆する作業が安らげるものではない理由を、誰よりも先に私の隣で目の当たりにし、時間を割いて原稿を読み、有益な提案をしてくれました。

著者について

クラウディア・ハモンド　Claudia Hammond

イギリス出身の作家、心理学者、人気のラジオプレゼンター。BBCラジオ4の番組「All in the Mind」のプレゼンターを務め、心理学やメンタルヘルスの専門知識をわかりやすく視聴者に伝えている。サセックス大学では心理学の客員教授として教壇に立つ。英国心理学会Public Engagement & Media 賞など多数の受賞歴あり。著書に『脳の中の時間旅行 なぜ時間はワープするのか』（インターシフト）、『MIND OVER MONEY 193の心理研究でわかったお金に支配されない13の真実』（あさ出版）などがある。

訳者について

山本　真麻　Maasa Yamamoto / やまもと まあさ

英語翻訳者。慶應義塾大学文学部卒。訳書に『それはデートでもトキメキでもセックスでもない』（イースト・プレス）、『クソみたいな仕事から抜け出す49の秘訣』（双葉社）、『シンギュラリティ大学が教える シリコンバレー式イノベーション・ワークブック』（共訳、日経BP）などがある。

装丁
岩永香穂（MOAI）

本文デザイン
有限会社マーリンクレイン

編集
藤明隆（TAC出版）

休息の科学

息苦しい世界で健やかに生きるための10の講義

2021年7月27日　初　版　第1刷発行

著　者　クラウディア・ハモンド
訳　者　山本 真麻
発行者　多田 敏男
発行所　TAC株式会社　出版事業部（TAC出版）
〒101-8383　東京都千代田区神田三崎町3-2-18
電話　03（5276）9492（営業）
FAX　03（5276）9674
https://shuppan.tac-school.co.jp

組　版　有限会社 マーリンクレイン
印　刷　株式会社 ワコープラネット
製　本　株式会社 常川製本

落丁・乱丁本はお取替えいたします。

ISBN 978-4-8132-9536-5
N.D.C. 301